ADIEU MON BALUCHON

Claire Isabelle

ADIEU MON BALUCHON

À toi, la vie

CARTE BLANCHE

Les éditions Carte blanche
1209, avenue Bernard Ouest
Bureau 200
Outremont (Québec)
H2V 1V7
Téléphone : (514) 276-1298
Télécopieur : (514) 276-1349
carteblanche@videotron.ca
www.carteblanche.qc.ca

Diffusion au Canada :
FIDES
Téléphone : (514) 745-4290
Télécopieur : (514) 745-4299

Distribution au Canada :
SOCADIS : (514) 331-3300

Dépôt légal : 2e trimestre 2006
Bibliothèque nationale du Québec
ISBN 2-89590-068-X

À ma famille très chère.

À ceux et celles qui ont teinté mon parcours
de leur présence et de leurs expériences

qui m'ont tendu la main comme
une invitation à aller de l'avant

qui ont posé sur moi un regard
de tendresse et de confiance.

qui m'ont transmis leur Espoir et leur Sérénité.

À Gabrielle Lachance pour son encouragement,
sa générosité, son aide technique, sans qui mon projet
d'écriture ne se serait peut-être jamais réalisé.

Préface

Chère Claire,

En refermant ton livre, je pense que, comme moi, ceux et celles à qui tu auras permis de te regarder déballer les trésors de vie contenus dans ton baluchon voudront te garder proche d'eux et se diront : « Cette chère Claire ! » Peut-être même qu'ils auront envie de fouiller aussi dans leur baluchon…

Pour ma part, j'ai eu souvent l'impression de te regarder vivre l'expérience difficile mais comblante de recréer ta vraie vie avec les événements d'un quotidien qui s'était imposé à toi au fil d'un cheminement mystérieux dont tu ne pouvais prévoir les détours ni les obstacles ni les déceptions. Seul le point d'arrivée était resté toujours clair : tu voulais qu'en arrivant au bout de l'existence terrestre, ton baluchon soit libéré de tous les faux trésors dont toi, ou d'autres, l'aviez surchargé et que tu puisses finalement devenir celle que le Créateur des merveilles avait dessinée au fond de toi dès ta naissance.

Ce qui m'a étonné davantage dans ton travail de *recréation*, ce fut de découvrir avec toi que les faux trésors n'ont pas eu besoin que tu les chasses de ta mémoire pour simuler leur mort, ni que tu cherches à les détruire par une agressivité vengeresse contre les sources de ta souffrance. Au contraire, j'ai été ému de voir sortir de l'ombre, dans ton passé le plus douloureux, des forces nouvelles qui ont transformé ces faux trésors en capacité et en désir intense d'aimer ceux et celles que tu rencontrais avec un baluchon pourtant si écrasant.

Autre source d'étonnement : en te regardant rebâtir ta propre image, je n'avais pas l'impression d'une personne qui se payait le plaisir d'être vue par d'autres, mais seulement de quelqu'un qui répondait au besoin instinctif de donner ce qu'elle a reçu de la vie. Comment se fait-il que ton lourd secret, plutôt que de t'amener à te méfier de toute la société, ait généré un si fort besoin d'aimer ? Je le sais, tu y as répondu en relisant ta vie : c'est ça le mystère de la résilience où notre nature peut faire renaître le plus beau feuillage d'un arbre qui semblait mort.

Il est facile de s'émerveiller avec toi. Que de fois, à l'évocation d'un événement ou d'une personne, ton cœur s'est emballé et il éclatait comme dans un énorme feu d'artifice où les émotions se bousculaient à la sortie ; non pas des émotions superficielles mais des émotions enracinées dans le creux de toi et qui voulaient être reçues comme des poèmes. Ton humour très présent reste toujours discret ; tu sais alléger des situations lourdes en les retournant en paradoxes ; et surtout ton style plein d'ellipses m'a servi de porte d'entrée pour ajouter du sens à mes propres sentiments amalgamés aux tiens : tout cela me permettait d'aimer avec toi la vie.

Dans un monde où l'on ne s'intéresse souvent qu'à l'éclat visible des événements, au sensationnel qui gâche le bonheur par son non-sens, on découvre avec toi que le plus réel de l'existence est un grand poème d'amour pour les plus humbles merveilles du quotidien. Et c'est tellement rafraîchissant ! La petite feuille verte qui se pointe sur une plante que tu croyais morte et qui a déclenché en toi un mouvement de vie prolongée et féconde : voilà un événement plus important que toutes les catastrophes génératrices de démissions.

Merci pour ce long chant pacifiant que tu as fredonné à ta vie pour la rendre plus harmonieuse et plus pleine. Il résonne maintenant aussi dans ma vie à moi.

Merci d'être TÉMOIN !

ROGER GAUTHIER

Oblat de Marie Immaculée
(Témoin des grands tourments de ma vie.)

Avant-propos

Un récit, mon histoire
sur des notes de confidences
sur un ton de liberté et de ransparence

Fébrile, remuée jusqu'à la moelle des os, je m'apprête à dévoiler ce paysage intérieur que j'ai construit au fil du temps, au fil des ans. Je le révèle avec ses méandres, ses attendrissements, ses éblouissements. Sans détours, je pénètre dans des clairières aux tournants abrupts, par des sentiers peu fréquentés, au rythme des passages d'ombre et de lumière. Paysages, donc, revêtus de la couleur de mon émotion, de mon innocence, de mes silences, que j'ai regardé évoluer avec des yeux d'enfant d'abord, d'adulte ensuite.

C'est donc à pas feutrés que j'amorce ce parcours. Aujourd'hui, il m'apparaît être celui et celui-là seul qui m'était destiné. Il a forgé celle que je suis devenue : reconnaissante à une vie pleine, unique, désormais importante à mes yeux, étonnante même. En cours de route, j'ai dû faire appel à des forces parfois insoupçonnées qui m'ont projetée vers l'avant et ont gardé intact mon éternel élan de vivre.

À l'école de Boris Cyrulnik, ce « merveilleux malheur » survenu à l'âge tendre de l'enfance m'a permis de développer le pouvoir de *résilience* si cher à son cœur de clinicien. Les bases qui me permettaient d'être « certifiée digne d'amour » résidaient déjà en moi parce que j'étais nichée dans la chaleur familiale.

Aujourd'hui, c'est ce même élan qui m'habite, et j'ose traduire en mots les événements qui ont teinté ma vie, « car la résilience, c'est plus que résister, c'est aussi apprendre à vivre[1] ».

Les yeux rivés à la bonne étoile

Philias, mon père, intégré à une communauté paroissiale agricole, habite pendant quatre-vingt-cinq ans sur un site enchanteur où la nature déploie ses largesses. Agriculteur chevronné, fier et digne, il est établi sur une terre prospère de la municipalité de Yamachiche, en Mauricie, dans « le haut » du rang de la Grande Rivière Nord, domaine légué de père en fils depuis six générations.

Éliane, ma mère, native de Rivière-aux-Glaises dans la même municipalité, est institutrice à l'école N° 11 de la Grande Rivière Nord. La distance à parcourir et les chemins de terre enneigés en saison maussade l'obligent à demeurer du lundi au vendredi dans une pièce plus que modeste annexée à la classe.

Quand le soir descend et que la marmaille se disperse, c'est à la lueur de la lampe à l'huile, à proximité du poêle à bois attisé toute la nuit, qu'elle prépare ses classes du lendemain, perfectionne, élabore et raffine ses stratégies éducatives.

Loin des siens, désirant briser l'isolement sans doute, elle accepte les invitations pour se rendre périodiquement veiller chez les parents des élèves. Comme figure d'autorité, elle est chaleureusement accueillie. Rires, histoires, jeux de cartes composent la soirée. Les gais lurons des alentours s'y faufilent, participant aux chansons à répondre, se joignant au petit « set carré » au son de la musique rythmée des pieds et des mains.

Se dessine alors en catimini l'histoire d'amour prélude à la mienne, tellement émouvante à mes yeux.

Philias et Éliane se lorgnent d'un regard charmeur, se séduisent, se font discrètement la cour. Il est facile de les imaginer se donner furtivement un petit bec et déjouer ainsi la vigilance du chaperon ayant pour mission de ralentir les ardeurs trop pointues. C'est de l'histoire ancienne, mais l'intention de vouloir sauvegarder les bonnes mœurs était noble et loyale.

Ils s'aiment sur les mêmes accords, ils rendent publiques leurs fréquentations, projettent de convoler en justes noces après avoir fait la grande demande au père de la future mariée selon les usages du temps. Déjà, ils se jurent fidélité pour la vie, pour accueillir tous les enfants que le bon Dieu voudra leur donner, obéissant ainsi aux lois morales réglementées par l'Église qui exerce une autorité forte à l'époque, qui contrôle les « reins et les cœurs » et dicte péremptoirement la conduite à tenir.

« Qui prend mari prend pays. » Éliane quitte donc l'enseignement pour s'établir chez les Isabelle où elle doit trouver sa place au sein d'une famille déjà soudée. À l'autel, un matin de juillet, le célébrant invite Philias et Éliane à s'unir pour toujours :

Pour remplir les prémisses de la promesse
À chaque heure
de tous les jours
d'une vie liée à une autre vie
pour marcher au même pas
à la même allure
dans le même sentier
les yeux rivés à la bonne étoile
devant Dieu et devant nous seuls
Donnons-nous la main.

Aux heures sans clarté
propices aux empêtrements
des routines asséchantes
pour chercher les fenêtres de fraîcheur
et les trous de lumière
pour ouvrir des barrières ou des éclaircies
pour trouver la source permanente
humble, cachée, masquée
puissante en sa persévérance
Donnons-nous la main.

Françoise Gaudet-Smet

Philias et Éliane sont beaux, vaillants, courageux, audacieux, conquérants. Ils sont les plus grands à mes yeux d'enfant : ce sont mes parents.

Ils se sont épaulés, ont joint les mains de leurs seize enfants, ont formé le cercle fécond de leurs ambitions et de leurs réalisations.

Sans cesse ajustés à la mouvance du temps, ils ont sauvegardé les valeurs spirituelles et traditionnelles afin de mieux traverser les jours de joie et les jours de peine. Ils ont aussi veillé à l'épanouissement personnel de leurs enfants et trouvé le temps de rayonner dans toutes les sphères d'activités paroissiales, sociales, municipales.

En témoignage à cette vie édifiante, je leur dédie ce vers de Nérée Beauchemin, poète de Yamachiche, extrait de « Patrie intime » :

Mon rêve n'a jamais quitté
Le cloître obscur de la demeure
Où, dans le devoir, j'ai goûté
Toute la paix intérieure.

Ou un petit frère, ou une petite sœur

Naître, c'est oser
C'est prendre le risque
C'est quitter la terre ferme
C'est ne pas savoir à l'avance
ce qu'il y a devant
C'est accepter l'inconnu
L'inattendu
L'imprévu et la rencontre
JEAN DEBRUYNNE

Quelle joie de contempler cette aquarelle offerte par mon père à chacun de ses quatorze enfants en janvier 1986 ! Elle représente la maison qui nous a tous vu naître et grandir. Profitant de cette soirée magique du jour de l'An où nous sommes tous réunis, papa nous fait le cadeau de ce chaleureux et attachant tableau aux nuances délicates. Geste symbolique, moments d'intenses et de profondes émotions. Je voyais défiler sous mes yeux de grands pans de notre histoire familiale. Je me sentais remuée devant la sensibilité élégante et raffinée de mon père, lui si pudique à l'image des hommes de son temps.

C'est dans cette spacieuse maison de ferme déjà très habitée, très chaleureuse, que je fais mon entrée solennelle dans la vie. J'y dépose mon premier souffle, lance mon premier cri, fais mes premiers pas. C'est en mai : mois des fleurs, des odeurs émanant du sol, de la lumière qui se fait plus vive, des jours longs et prometteurs. C'était il n'y a pas si longtemps : soixante-neuf ans.

Cinquième d'une famille de seize enfants, dont deux sont morts en bas âge, ma toute petite enfance se déroule sans histoire, certainement bercée par la même intensité d'amour avec laquelle j'ai été conçue, mais me laisse, hélas ! très peu de souvenirs concrets. Un seul persiste cependant.

D'année en année, je vois s'arrondir le ventre de ma mère. Jeune, trop jeune, je ne fais encore aucun lien avec chaque nouvelle naissance qui s'annonce. Je comprendrai plus tard que maman, secrète et discrète, parlait très peu de ses grossesses. À cette époque, on est discret sur les mystères de la vie. C'est nous, les enfants, en grandissant, qui devinons, épions les indices, voyons de nouveau décorer le berceau laissé par celui qui cède déjà son droit de cadet. Nous avions le temps de créer le désir de ce moment toujours mystérieux, vécu par ma mère comme une bénédiction, un appel et une réponse à la vie. Au jour tant attendu, mon père nous conduisait chez un oncle ou un voisin ; en saison estivale, nous allions, le cœur léger, à la cueillette des petits fruits des champs en apportant un lunch, évidemment, pour ne pas revenir trop tôt. Au retour, sans grande surprise, voilà qu'un petit frère ou une petite sœur s'était ajouté au groupe familial. Papa, radieux, nous accueillait pour l'intime rencontre.

Vite, nous assiégeons la chambre parentale pour faire connaissance avec ce petit être à chouchouter, sculpté à la perfection et qui nous appartient, à nous tous. Déjà, il est accueilli, entouré, aimé, intégré. Il repose au pied du grand lit, emmailloté dans une petite couverture blanche. Le regard rempli de tendresse, nous épions ses mouvements et savourons ses premiers instants à saveur d'éternité. Nous sommes là, émerveillés, émus, à ne pas quitter des yeux ce « cadeau du ciel », disait-on. Minuscule, joufflu, mains potelées, poings fermés, il est l'unique centre d'attraction et finit toujours par ressembler à tout le monde.

Je me souviens des longues discussions que nous tenions afin de trouver un nom qui le personnaliserait et que j'appelle aujourd'hui l'identité. J'ai conservé en mémoire l'éclat lumineux des yeux de mes parents, déjà prêts à projeter ce nouveau-né dans son devenir. Plus tard, quand ma mère, consciente de mes désirs, déposait ce petit poupon dans mes bras pour que je le berce et lui communique mon affection sous son œil attentif et vigilant, c'est tout l'or du monde que j'accueillais.

Naître, c'est quitter son abri
C'est essuyer le vent de face
Et porter le soleil sur son dos

Jean Debruynne

Et nous avons grandi les uns après les autres. Les premiers pas qui trébuchent, les premiers mots – papa, maman – sont captés avec une grande émotion. J'entends encore les rires et les revendications qui résonnent dans tous les coins de la maison. Je vois consoler les pleurs par la tendresse et prodiguer la becquée à volonté. Les tout-petits ont la faveur des plus grands.

On a tous le même âge
Mais pas en même temps

Au même programme
La belle insouciance
Et les ennuis
Le bleu de l'enfance
Les grandes expériences
De la vie
On a tous le même âge
Mais pas en même temps

JACQUELINE LEMAY

Joyeux couloirs de l'enfance turbulente, bouillonnements de l'adolescence, émois des premiers aveux amoureux, détachement déchirant des grands départs ; tout se croise, s'entrecroise, se fusionne, se noue dans l'intimité de l'espace respecté par chacun comme si nous étions liés par un pacte de fidélité et de complicité.

Une table mise
Une marche saccadée des saisons
Une lampe du soir restée allumée
Une porte ouverte jour et nuit
Une danse dans le ciel
animée par un feu de poêle à bois attisé

C'est mon chez-moi, havre portant mes empreintes, qui a épousé mes alternances du dedans et du dehors.

À la recherche de la vie

Faut garder de son enfance
Dans un coin de son cœur
À l'abri des rôdeurs
Et des voleurs de chance
Faut garder de l'errance
Les semelles du vent
Déjouant le silence
Sur le chemin du temps

Faut garder de l'enfance
le secret renouveau
la vibrance des mots
le vrai des apparences
Faut garder de la danse
la figure des pas
tournée vers l'autrefois
l'ailleurs et l'au-delà

SYLVAIN RIVIÈRE

Je grandis, j'apprends la vie dans cette bruyante mini-société que nous formons. Les gestes d'affection s'avèrent plus importants que les mots, le travail épouse les loisirs, le giron familial nous englobe. Mes parents ne vivent que pour leurs enfants, petits et grands, avec un sens omniprésent du devoir, une générosité sans frontières. Ils divulguent à profusion les messages d'amour. Habités par des lendemains incertains, ils nous tiennent à l'écart de leurs préoccupations qu'ils mettent entre les mains rassurantes de la Providence. Les valeurs morales et sociales sont vécues sans compromis, la religion est intimement liée au quotidien. Les murs, dirais-je, s'imprègnent de cette foi profonde, indélébile, qui soutient l'aujourd'hui et pourvoit au quotidien. Les fenêtres s'ouvrent grandes sur les petits et grands bonheurs, faits de tout et de rien. Rires et pleurs, joies et peines, fêtes et deuils, divergences d'opinions et réconciliations, apprentissages et partage des tâches scandent les pulsations de notre univers grouillant où se vivent le meilleur et le pire.

Chacun doit revendiquer ses droits, sa place, sa part d'affection, son intimité et côtoyer l'utile, l'agréable et le difficile. J'y apprends le respect, la tolérance. « Accordez-vous », nous répond maman quand nous allons nous plaindre des situations qui ne sont pas claires entre nous. Ou encore : « Allez vous chicaner dehors ! » Diplomate et intelligente, maman ! Elle savait très bien que nous préférions rester dans la maison et que, de toute évidence, en adoptant l'autre solution, le drame reporté perdrait de son importance. Nous choisissions donc d'accorder nos violons et de trouver les notes justes. Grandes leçons pour notre vie : trouver nos propres solutions, les assumer en sauvegardant l'harmonie.

J'apprends également très vite le sens des responsabilités qui devient le mobile de mes choix de carrière et me redonne des ailes dans les tournants abrupts.

À neuf ans, être promue gardienne de six enfants en bas âge pour une journée entière est un test d'autorité et de confiance un peu exceptionnel, faut-il l'admettre ! Et que dire des expériences culinaires ou ménagères, grimpée sur une chaise pour aider à la pâtisserie, repasser les vêtements ! Je me souviens également des corvées de ménage du samedi ou des séances de tricot pour apaiser nos ardeurs d'enfants. Peu importe les résultats, nous sommes valorisés et guidés sur le chemin de l'autonomie, de la force, de l'endurance.

Mes quinze ans ont gardé au chaud ces marques de confiance et d'ouverture mère-fille. Fraîchement de retour du pensionnat, devant l'arrivée du seizième enfant, je souligne à ma mère le regret de n'avoir pu exprimer mon désir d'être présente à son accouchement qui, évidemment, se faisait à la maison. « Tu aurais dû me le demander », me répondit-elle spontanément. À regret, je n'aurai pas à vivre cet émerveillement, cette extase qu'une naissance provoque. Elle propulse vers le mystère, l'immortalité, la joie souveraine.

Je tente de suivre avec fidélité les traces d'une éducation modelée pour le plus grand bien de chacun des membres de la famille. Pourtant, je me retrouve souvent sur mon île sauvage et déserte, perdue à la recherche de mon identité. Très jeune, je me demande quelle direction prendra ma vie, quelle couleur endosseront mes vingt ans, où me conduira mon parcours d'adulte…

Un enfant qui dit:
« Quand je serai grand »
devrait avoir
autant d'auditoire
qu'un vieillard qui dit:
« Quand j'étais petit. »

GILLES VIGNEAULT

Enclavée dans le milieu ambiant, j'aurais aimé qu'on me tienne la main, qu'on me donne rendez-vous à moi toute seule, qu'on cautionne l'assurance d'une petite fille baignée dans son anonymat. J'aurais désiré qu'on vienne davantage à moi pour ouvrir des chemins particuliers, ensemencer mes rires, parler de mes dérives, pour réveiller la vacillante petite fille capable d'émerveillement mais qui, essoufflée, court trop vite pour devenir grande.

Au verso des besoins d'enfant, chaque être, de tout temps, ne doit-il pas, par monts et par vaux, tracer sa route à force d'efforts personnels ? La famille globale d'antan se diluait dans le nombre. Chacun devait partir tout seul à la quête de son individualité. Par quelle voie y arrive-t-on ? Gilles Vigneault y réfère dans son dernier livre :

Je demeure où l'amour loge
J'y retourne à chaque pas
Le temps n'est pas dans l'horloge
Mais dans notre cœur qui bat.

Vulnérable et fragile, je m'abandonne aux courants alternatifs de la vie, là où le sable est peut-être moins mouvant.

Avec un regard rétrospectif, à la faveur des aléas de mon parcours, j'ai conscience qu'un ressort invisible m'a permis de me dégager des ornières dans lesquelles j'ai été longtemps enlisée, s'enracinant déjà dans l'altruisme et le courage appris et exercés au foyer familial.

Comme le dit Cyrulnik : « Une vulnérabilité affective peut se transformer en force affectueuse, à condition d'y mettre le prix[2]. »

C'était hier

Nous sommes des exilés
de notre enfance
parés de souvenirs et de sensations
jamais retrouvés
d'images auréolées de parents
aujourd'hui vieillis
de moments magiques
enfouis dans la mémoire
Autant d'expériences
qui ne sont pas renouvelables
et qui, pourtant, orientent toutes nos quêtes

Bertrand Cramer

Vie simple et modeste, sans artifices. Nous vivons de l'essentiel. La magie de l'électricité apparaît au cours de mes dix ans. Du même souffle, elle sort la famille de l'obscurité de l'ombre sociale, facilite les activités ménagères, scolaires, agricoles et change radicalement notre façon de vivre. Fini le temps des devoirs écrits autour d'une lampe à l'huile installée au centre de la table de la cuisine, tâche interrompue souvent par la visite impromptue de la marmaille venue capter l'attention des écoliers, peu consciente des conséquences fâcheuses que leur passage entraînait. L'encrier se renversait, laissant des pâtés sur les devoirs, désastre qui encourait l'humiliation d'un travail déshonorant à remettre le lendemain.

Le téléphone aux mille oreilles indiscrètes se fait attendre et entendre bien tardivement. Doté du pouvoir magique de nous relier avec l'extérieur, il suscite bien des exclamations et des excitations ; à mon sens, il avait alors le même attrait qu'Internet aujourd'hui pour ceux qui le découvrent pour la première fois. Cependant, son usage en demeure « pour l'utilité seulement ». Les conversations amicales sont restreintes ; les confidences sur les premiers désirs amoureux, si importantes, réservées aux petites amies de mon âge, restent tues. Une dizaine d'abonnés sur la même ligne font taire les aveux et les épanchements bien naturels de l'âme et du cœur.

Un jour, racontant de façon volubile certaines de ces anecdotes, mes étudiantes, des jeunes contemporaines ancrées dans une société qui évolue à la vitesse du son, s'étonnent : « De quelle civilisation sort-elle ? » Les propos semblent naître davantage de l'imaginaire que de la réalité. C'est bien de mon époque qu'il s'agit, même si j'ai peine à y croire. Étonnant comme les souvenirs ont le don d'enchanter mon présent ! Ils m'animent, m'égaient, m'enveloppent de douceur, réveillent mes racines. Ils ont forgé l'adulte actuelle que je suis, capable de défier l'obstacle pour en faire un tremplin et de croire en la merveille des petites choses.

Je leur raconte des faits cocasses, suaves, attendrissants, qui me font encore sourire. En hiver, l'étable étant peu chauffée, mon père emmenait à la maison, près de la fournaise, les petits cochons nouveau-nés mal en point et incapables d'affronter le froid. Au matin, le son inusité de ce mignon grognement nous réveillait ! Une fois revigorés, autant par les caresses de la marmaille que par la chaleur, ils retournaient vigoureusement à leur mère. Les petits moutons naissants bénéficiaient également des mêmes tendres attentions.

Les préceptes dominicaux sont fortement ancrés au cœur de nos vies et se rendre à l'église les dimanches, franchir cette distance d'une heure sur une route enneigée, fermée aux automobilistes, s'avère une excursion peu banale. La tête entourée d'un large foulard, emmitouflés dans une couverture d'épaisse fourrure, tapis et tassés au fond de la carriole, un quartier de bois d'érable préchauffé pour garder nos orteils au chaud, nous éprouvons de l'enchantement. La campagne enneigée défile au rythme de l'ardeur du cheval et nous enveloppe de sa splendeur. Les chants de papa résonnent sur tous les tons, scandant l'assurance paisible de se rendre à bon port. Au retour, la cuisine embaumée, maman nous attend avec les « poutines au ragoût », mets réservé au dimanche midi qui, encore aujourd'hui, stimule l'appétit de l'un de nos « partys » annuels.

Nous gardons la joie et la paix dans le cœur ; nous vivons de l'abondance du cœur, de ces mille petites choses qui auréolent le quotidien : la bonne entente, l'entraide, la gratuité qui s'incrustent pour la vie. « Il y avait une zone ouverte à la joie franche, aux enthousiasmes féconds et aux trêves fortifiantes[3]. »

Cette atmosphère, ces événements, cette tranche de mon passé vécu au giron familial ont pavé la route pour alléger mes épaules d'un poids accablant retenu dans mon baluchon et pour m'en délester beaucoup plus tard. « Ce n'est que lorsque nous sommes devenus adultes que nous pouvons choisir dans notre passé les événements significatifs qui prennent un sens, à la lumière de ce que nous sommes devenus et selon la personne à qui nous nous adressons. Tout souvenir est un dialogue entre ce que le milieu a tracé au fond de nous et ce que nous voulons révéler de nous-mêmes aux autres[4]. »

Professeure d'histoire, je fais souvent référence à ces anecdotes amusantes d'antan. Je suscite chez mes étudiantes l'envie d'inviter mon père de quatre-vingt-six ans pour leur en parler davantage. À ma demande, il acquiesce avec plaisir et se présente à ce cours marginal, endimanché, ravi, fier comme un paon, le regard vif, la mémoire éveillée, son habituel sens de l'humour bien aiguisé. Captivant, il facilite la spontanéité du groupe, secoue l'imaginaire, suscite l'intérêt d'un passé si différent du nôtre.

Ces adolescentes fascinées se sont assises par terre tout près de papa pour créer l'intimité et mieux capter les récits d'un grand-père qui possède l'art de raconter. Il leur parle sans pudeur de sa vie, des traditions, des grands bouleversements de la société survenus de lui à nous, déposés là sur les marches de l'escalier du temps. Avec humour, il chevauche les enjeux politiques et sa façon bien personnelle de les interpréter en les peignant évidemment de la couleur qu'il a toujours arborée.

Adoptant plus de retenue, il parle des fréquentations « de son temps », de sa rencontre avec maman, de leur voyage de noces à l'Oratoire Saint-Joseph. C'est tout juste s'il n'entonne pas sa chanson fétiche, écrite par Jean Tavéro : « J'avais vingt ans, pour les yeux d'une femme, un mot d'amour faisait battre mon cœur » !

Sachant qu'il s'adresse à un auditoire de jeunes mères célibataires qui ont accéléré le pas sur la marche des événements et survolé ses valeurs d'aïeul, il se gante pour parler de la famille d'autrefois, des nombreux enfants que le bon Dieu a voulu lui donner, de l'éducation qu'il trouve bien permissive maintenant, de la religion au cœur de la vie quotidienne et qu'il juge beaucoup trop absente des préoccupations actuelles.

Il s'attendrit en parlant de maman, femme vaillante, infatigable, éducatrice née, forte, talentueuse, qui chapeautait les activités de la barre du jour à l'avancée de la nuit. Je l'entends la louanger pour son appui, pour sa capacité à « l'épauler », selon son expression, dans cette gigantesque œuvre familiale et agricole, pour le meilleur ou pour le pire. Bonne mère et bonne épouse, elle savait aussi parfaitement concilier travail et famille.

Questions et réponses fusent spontanément, révélant ainsi maintes émotions inscrites entre les mots.

Rencontre bien émouvante, imbibée des valeurs des uns et des autres, du rapprochement des générations.

Le cumul des décennies a généré des changements majeurs et modifié nos conditions de vie de façon spectaculaire. Évolution, confort, contraintes aussi, mais avons-nous la faculté d'élargir notre conscience pour transformer l'utilisation collective de l'univers avec sagesse ? C'est la grave question que se posent ceux qui se préoccupent de l'avenir de l'humanité, de la qualité de vie qui est réservée à la jeunesse. En ses propres termes, à sa manière, papa formulait souvent la même interrogation.

Les circonstances m'ont appelée à vivre dans des environnements différents de ceux de mes élèves, mais ces racines se lovent au creux de mon être. Tous ces chauds souvenirs m'ont aidée à garder le cap quand mon bateau a pris l'eau et menacé de couler devant les écueils surgis si abruptement dans la fraîcheur de mon enfance.

Comme à l'approche d'un pays lointain,
je ferme les yeux,
tu me prends la main pour me ramener
quelques instants,
quelques instants seulement au pays de mon enfance.

ANONYME

« De bon vouloir, on crée vigueur »

On n'attend pas les jours meilleurs
On n'attend pas.
De bon vouloir, on crée vigueur
Plus ferme et dure que malheur
On n'attend pas les jours meilleurs
On n'attend pas.

Un jour plus beau veut arriver
et enfanter une gaieté
On n'attend pas, on n'attend pas
Demain sera plus clair, vient une étoile
D'autres s'accrochent en passe-poils
Un rien tout neuf éclate aux yeux
Vient d'apparaître un jour heureux.

FRANÇOISE GAUDET-SMET

Profitant d'une promenade sur sa terre le dimanche après-midi, unique jour de repos appelé à l'époque jour du Seigneur, papa se plaisait à raconter contours et détours de cette histoire de legs de père en fils. Vibrant d'émotions, il soulignait la générosité de la nature devant l'étendue des blés dorés, la floraison des trèfles et le regain de la verdure après une pluie bienfaisante. En observant paître son troupeau, il réfléchissait à haute voix, des lueurs plein les yeux.

J'avais «mon tour» à être seule avec lui et j'écoutais, fascinée, médusée, consciente déjà de l'héritage inscrit en filigrane: ses propos semaient en moi ces valeurs profondes et souterraines ancrées, venues du fond des âges. Avant lui, au prix de mille courbatures, mes ancêtres avaient risqué et labouré, tracé des chemins à force de travail, planté la croix du chemin, transmis leur sang dans mes veines. C'est ce qu'il me racontait. Ainsi nous marchions à pas saccadés jusqu'à la limite cadastrée, «le petit bois» du bout de la terre, comme si notre horizon s'arrêtait là. Ballade énergisante, douce complicité filiale.

Sur le chemin du retour, papa s'attardait en silence près du symbole tenace des ancêtres, l'orme géant déployant son ombre, droit jusqu'au ciel, résistant aux forces de la nature. Il se recueillait pour mieux parler à son Créateur sans doute de cette tragédie advenue au beau milieu de sa vie et inscrite pour toujours dans sa chair.

Son coin de pays fiché en plein cœur, mon père labourait le terreau au rythme de ses chants répercutés au loin: «Je crois en toi, maître de la nature. Je crois en ta grandeur, je crois en ta bonté», tel son hymne à la vie, au devoir, à la foi! Il habitait ses champs avec la ferveur d'un homme qui tasse les obstacles et qui porte l'étendard de sa liberté et de sa fierté. Retourner le sol, le contempler, vibrer au temps des récoltes, tels étaient sa passion, ses horizons, ses espoirs.

Avec ma famille, j'ai vécu le contexte d'une économie dévastée par la Seconde Guerre mondiale avec son cumul d'insécurités et de privations imposées, mais « on n'attend pas les jours meilleurs, on n'attend pas », dirait Françoise Gaudet-Smet.

La participation active de tous à l'entreprise agricole est requise pour assurer le pain quotidien. En l'absence des gratuités scolaires et médicales connues d'aujourd'hui, nous étions sensibilisés à prévoir le budget alloué à notre instruction et à pallier aux coûts reliés aux chocs imprévisibles de la vie, ne profitant pas des facilités actuelles en matière d'éducation et de santé. Devoir oblige ! Mais le travail, qui exigeait le réveil matinal pour prendre soin des animaux, pesait lourd sur nos petits bras mal musclés, sapait la présence et l'énergie des parents et prenait le pas sur les loisirs. Nous étions loin de jongler avec la parité salariale. Nous remplissions nos tâches avec fidélité et assiduité. Ces défis relevés ont cependant vu apparaître des jours heureux, moins laborieux. Nous nous les remémorons souvent avec humour et nous avons cru qu'un jour nouveau « veut arriver et enfanter une gaieté ».

Le Québec des années 1950 vit la « Grande Noirceur ». L'ère de la technologie, de la modernisation, des facilités, n'a pas encore fait son apparition. Nous en sommes plutôt à l'heure de la débrouillardise, de l'ingéniosité.

Aujourd'hui, les musées regorgent d'artefacts témoignant de cette hardiesse pionnière du monde rural. Bien avant ces majestueux parcs éoliens dans la mire d'Hydro-Québec, nos ancêtres avaient installé leur convertisseur d'énergie maison actionné par le vent. On peut en observer quelques reliquats au hasard des promenades à la campagne. Éole, le dieu des Vents, a dû recevoir maintes supplications pour faciliter l'accès de l'eau aux abreuvoirs ; nous l'avons souvent invoqué.

En pensée, je salue encore ce petit drapeau rouge hissé au balcon du deuxième étage de la maison qui rappelait des champs les travailleurs fourbus. Innovateur petit drapeau rouge de maman jalonnant la voie au téléphone cellulaire maintenant omniprésent dans la vie actuelle des gens.

Nous fûmes également de la génération des « grosses familles » louangées par l'Église et l'État. À l'évidence, la pilule contraceptive disponible au début des années 1960 allait bouleverser les consciences et heurter les bien-pensants avant d'entrer dans les mœurs et pratiques du libre choix. Impact imposant, questionnement moral, tournant démographique, mais aussi liberté et autonomie des consciences.

Toujours, la mémoire se verse au présent, allumant l'étincelle qui ravive les émotions du temps, les naïvetés, les illusions, l'euphorie. J'ai souvenir, entre autres, des expressions drôles et colorées de maman, qui se référait à « communauté » pour traduire les « grands moyens » à instaurer en vue du bien-être collectif. Les aînés s'en souviennent avec attendrissement…

Aux heures des repas, une tablée trois fois par jour ne suffit pas, il en faut deux. Qui se pliera aux concessions ? Lequel a l'estomac aux abois ? « Accordez-vous ! » renchérissaient les parents. Pour sauvegarder la paix, les négociations menées en aparté sont parfois laborieuses. C'était la démocratie au stade primaire : « À vous de décider ! » disaient-ils.

Organisation souple, exceptionnelle. Des semences du printemps aux récoltes de l'automne, toute la famille se mobilise au travail des champs. Grands manchons aux bras en guise de crème solaire, nous sortons pioches, râteaux, charrues et chapeaux de paille et, à cinq ans, je collabore déjà aux semences des patates. Il faut environ douze pouces pour séparer chaque germe mis en terre, mesuré à l'aide d'un bâton de fortune, pour que mon jeune âge en assure la précision. Tout l'été, je courtise assidûment mes plants grandissants pour déterrer avec surprise et fierté, au temps des récoltes, des tas de tubercules de tout acabit logés au même nid.

À la faveur des saisons, nous égrenons l'horloge du temps pour entretenir les jardins et faire les foins sous un soleil ardent; pour engranger le blé, couper et distribuer le blé d'Inde aux animaux dans la brunante des soirs frileux d'automne. Au temps des récoltes, maintes corvées sont prévues pour la mise en conserve des légumes et le rangement de ces provisions dans le fond des garde-robes, dûment étiquetées. Ingéniosité et aide-mémoire!

L'hiver nous procure un salutaire répit pour mordre aux plaisirs des jeux de neige qui se conjuguent mal avec le froid parfois sibérien. Au retour, nous faisons cercle autour du poêle à bois, bois que nous avions rentré nous-mêmes. Pommettes rouges, pieds et mains comme glaçons, nez dégoulinant, mais revenus sains et saufs malgré les traîneaux et toboggans d'époque construits hors des normes actuelles de sécurité.

De simples douceurs viennent émailler ce perpétuel labeur: pieds nus dans la rosée du matin estival, air pur et frais de la campagne, vastes espaces de liberté, savoureuse eau fraîche, artisanale et traditionnelle bière d'épinette, collation de fin d'après-midi sous les arbres, compliment d'un travail bien fait et la paix du soir, le chant des cigales, le ciel constellé d'étoiles.

Fourbus, nous nous couchions frissonnant jusqu'à la moelle des os, le lit nous invitant au pays de Morphée.

Et parfois radieux dans nos palais de foin,
nous déjeunions d'aurore et soupions d'étoiles.

ÉMILE NELLIGAN

École du haut savoir

Aussitôt que les feuilles commencent
à démissionner des arbres,
tu rentres à l'école pendant des mois…
des mois et pendant des années.

Marc Favreau

Mille fois, j'ai éprouvé ou vérifié mon sac d'école artisanal, plié et déplié la robe fleurie cousue spécialement pour ma première journée d'école. J'ai essayé les souliers en cuir verni utilisés et moulés par mes sœurs, admiré la boucle en plastique rouge destinée à retenir mes couettes blondes. Après une nuit blanche, escortée des plus grandes, j'emprunte joyeusement l'étroit chemin rocailleux comme si je partais en croisade pour conquérir le monde. Je gravis fièrement les marches de cette petite école où ma mère enseignait au temps de sa jeunesse et qui demeure fidèle gardienne des secrètes amours qui détermineront sa vie à jamais.

Dépaysée, je tente d'imiter l'entourage pour réaliser rapidement qu'il me faut rester presque immobile et montrer patte blanche avec un « Excusez-moi, Mademoiselle » avant chaque interrogation, lever la main pour avoir la permission de parler, etc. Quel contraste avec les gambades, escapades et espiègleries du milieu familial plus élastique ! Cette attitude de non-liberté ramène au présent la petite fille timide qui gîte au fond de moi et qui prendra longtemps à ébaucher son élan, à s'affirmer au grand jour.

Le décor dénudé des écoles d'autrefois se revêtait d'austérité : murs blancs, long crucifix noir, poêle à bois central que chacun se permet d'attiser quand le froid s'immisce, immenses tableaux noirs ornés de l'alphabet, interminables cartes géographiques, enfin, rien pour stimuler la fantaisie, la créativité, les brins de folie ! Mon souvenir en garde froideur et rigueur, mais qu'importe, j'étais à l'école et devenue grande. Avec le temps, les codes de vie deviennent plus ancrés, les habiletés mieux effilées, les complicités plus harmonieuses. Sous le soleil, sous la pluie, au temps des floraisons, des fossés qui chantent, des paysages poétiques de l'automne, sous les tempêtes hivernales, je me surprends à considérer comme étant une fête de reprendre chaque matin cette route du haut savoir !

C'est le début d'un envol scolaire de huit années que j'exploiterai avec brio. Dès les premières journées, les premiers succès, je me sens promue pour la vie. Ces succès me serviront de porte d'entrée pour redorer mon image personnelle.

La discipline demeure sévère, imposante, rigide. Les éclats de voix et les rires n'ont le droit de retentir qu'au son de la cloche annonçant la récréation ou encore sur le chemin de l'aller et du retour, seuls moments de contacts avec nos amis, les voisins. Les écarts de conduite sont considérés comme inacceptables, punissables. Un jour, gamine sur les bords, je décide de prendre congé de la rigueur et j'ose dessiner en cachette un petit chat nommé Bousco que ma sœur chérit particulièrement. Nos rires étouffés, certainement provoqués par la mine que je lui inflige et l'arrêt momentané des apprentissages que je fais subir à l'entourage, me valent une réprimande un peu démesurée : à genoux dans un coin, même après la fin des classes. Pourtant, je ne suis pas la seule responsable, mais la maîtresse a toujours raison devant nous et, penaude, je dois également m'expliquer à la maison ! Cette histoire de Bousco nous fait encore rire ou rager selon nos humeurs mais illustre bien comment nos espiègleries enfantines étaient reçues et traitées. Nous ne regrettons rien !

Entre nos incartades enfantines, la mission de ne pas faillir à l'excellence reste au rendez-vous. L'école est aussi compétitive. Les notes sont scrutées, approuvées ou désapprouvées ; les succès sont valorisés et stimulent ainsi la motivation. Nous sommes fiers de constater l'efficacité et l'infaillibilité de notre enseignement quand nos résultats sont confrontés au palmarès des autres petites écoles et, plus tard, comparés bien timidement aux examens d'admission des grandes écoles. La réussite est assurée même s'il nous faut recourir aux moyens rudimentaires, soit, par exemple, l'utilisation des manuels scolaires qui circulent de l'un à l'autre d'année en année sans être rafraîchis, ni dans leur contenu ni dans leur reliure.

Et dans la mire de l'époque actuelle, que penseraient élèves et professeurs d'aujourd'hui en recevant la visite de Monsieur l'Inspecteur qui se pointe chaque année, chapeau rond, sourire en coin, presque obèse et qui, en s'assoyant lors d'une visite chez nous, démantibule sa chaise sous nos yeux stupéfiés ? Reçu avec cérémonie, se présente-t-il pour évaluer le savoir des élèves ou les compétences de la maîtresse ? Qu'importe, nous avions à faire la preuve de l'enseignement reçu et démontrer la discipline qui se devait de régner. Nous ne manquions pas de directives à cet égard.

Je réussis avec exactitude et précision un test d'arithmétique – mot usuel de l'époque – destiné aux élèves de 3e année élémentaire. Voulant connaître les limites de mes connaissances, il me réserve un problème destiné aux élèves du 4e niveau : « Que vaut le quart d'une livre ? » Je capitule. « Seize divisé par quatre », me souffle mademoiselle. Je ne comprends pas, mais je note la réponse suggérée. Cette bonne solution obtenue de biais me vaut, en juin, le prix d'excellence, les fiers compliments de mes parents et de mon oncle qui accompagnait monsieur l'Inspecteur de son titre prestigieux de l'époque : commissaire d'école.

Hélas ! le stratagème en question me fait l'effet d'une fraude, me laisse des scrupules à l'âme et brouille ma capacité de réussir les examens du ministère l'année suivante, au grand désarroi de mon professeur et de ma mère qui n'y comprennent rien. J'avais pourtant remporté la palme d'or l'année précédente. Me laisser face à mes limites au lieu de me faire complice de l'embarras d'un professeur assoiffé d'honneur aurait servi davantage la petite fille vulnérable à la conscience de porcelaine que j'étais, attentive à rétablir sa confiance, à regagner sa dignité. J'ai longtemps porté le poids de ce malencontreux incident.

Ces souvenirs lointains cimentés au fond de nous ont habité les gais lurons de notre petite école qui les ont remémorés en juillet 2000 dans un grand rassemblement sur ce même site, dans la joie, les chants, la musique, l'allégresse. Réunis autour de nos professeurs d'hier, émus, étonnés, nous portions la griffe des valeurs traditionnelles qui nous ont guidés comme un phare dans la nuit. Tant de choses à se dire ! Chacun ouvrait vaillamment les chapitres croustillants du grand livre de sa vie. Nous nous sommes retrouvés avec la beauté de nos expériences, la sérénité et la lucidité dans le regard, des rides de sagesse dans les replis du visage, avec la fraîcheur d'une enfance renouvelée !

Nous avons vécu l'époque de la Grande Noirceur des années 1950 avec ses allures d'austérité ; nous avons franchi la Révolution tranquille des années 1960-1970 qui a transformé le monde de l'éducation et fermé nos petites écoles, rendant nostalgiques ceux et celles qui les ont fréquentées. Nous nous retrouvons après cinquante ans dans l'effervescence et la modernisation pour jouer le pari du meilleur.

Partir avec valise et baluchon

On grandit dans sa tête
Et surtout dans son cœur
Au sortir des tempêtes
Qui nous remettent à l'heure

Sylvain Rivière

À six ans, j'avais fièrement quitté la maison, sac d'école à l'épaule. Trois ans plus tard, j'écoperai d'un écrasant baluchon invisible. Il contient une terrible trahison, mes illusions naïves, mes rires perdus. J'y ai profondément enfoui un énorme secret, lourd comme un gros caillou. J'y ajouterai traumatismes, angoisses, culpabilité, honte. Il me poursuivra et enfermera le monde intime de mes pensées, mes évasions obsessives dans un parcours où j'ai cherché ma place douloureusement et à tâtons.

En effet, un événement qui me marque au fer rouge surgit brusquement dans ma vie avec la nette impression que mon enfance bascule brutalement. Je dois affronter un cyclone dévastateur avec une force de résistance réservée aux grandes personnes. Ce grand bouleversement secoue ma vie, se grave en moi et persiste dans sa gravité, étendant ses ramifications sur de trop longues années. Dans ce labyrinthe où je déambule, mes désarrois intérieurs se bousculent, mon mal d'être part d'une blessure sans appel et bride toute tentative d'envol.

La trahison fait son œuvre, la confiance sabotée a besoin d'être remise à neuf. Je devrai seule, impuissante, essayer de remonter la pente, de libérer mon baluchon. Je m'interroge sur mes façons d'être et d'agir, sur mes capacités de rebondissement pour que ma vie de demain reflète les promesses d'un affranchissement plus généreux. Je cultive l'envie de vivre, de m'immuniser contre tous ces envahissements virulents. J'aurai longtemps besoin de croire à de nouvelles avenues porteuses de libération, de ranimer les contours sains de ma toute petite enfance et tenterai éperdument de me débarrasser du fardeau de ce baluchon écrasant, encombrant, que je traîne, qui émerge et me submerge à répétitions.

Faut regarder plus loin
Que dessus son épaule
S'habiller de matin
Quand l'espérance rôde

SYLVAIN RIVIÈRE

Développer mes habiletés intellectuelles et franchir les étapes menant à une carrière professionnelle deviennent l'une des échappatoires qui m'aident à traverser cette phase sombre qui débute dans mon enfance et s'infiltre dans mon adolescence. J'ai soif de trouver une aisance intérieure, de dénouer des nœuds et je suis prête à y mettre le prix, l'espérance, le temps.

La seule possibilité qui s'offre à moi pour poursuivre mes études secondaires et contrer l'absence de transport scolaire est de devenir pensionnaire au couvent du village. Cette école est sous la direction des Sœurs de la Congrégation de Notre-Dame qui détiennent à juste titre la palme d'or de l'éducation. L'aventure est périlleuse, mais déjà j'apprends à voler de mes propres ailes.

Vouées à l'enseignement et l'éducation, les religieuses s'appliquent généreusement à former des jeunes filles distinguées, de bonne mœurs, en mettant un accent particulier sur les vertus pouvant les éloigner des plaisirs du monde, les garder chastes et pures jusqu'au mariage. Elles proposent alors un modèle d'épouse, de mère docile et soumise, représentant les valeurs de l'époque et que nous adoptons avec candeur et naïveté. Elles évoquent en sourdine la possibilité de suivre leurs propres traces : voie du salut, réponse exclusive à de grands élans de don total, invitation directe à suivre leur vocation comme si elles pouvaient décrypter la volonté de Dieu lui-même. Notions bien abstraites qui ressurgissent plus tard dans de plus justes perspectives.

J'ai eu l'énorme privilège de suivre un programme d'études bien défini, structuré, transmis avec cœur, compétence et rigueur ; il a été assimilé durant ces longues heures d'étude alors que les murs ont des oreilles et qu'on peut entendre les mouches voler…

M'éloigner des miens à quatorze ans alors que « l'orée du petit bois » représente le bout du monde et quitter mon nid pour vivre trois années consécutives dans un pensionnat marque dans ma vie le début d'un périple où les changements sont brusques, les restrictions majeures. Apprivoiser des lieux et des visages inconnus, m'intégrer à un mode de vie différent, m'habituer à de nouveaux programmes, parcourir de longs couloirs, vivre des moments de silence interminables, créer ma place parmi des groupes déjà noyautés, tout concourt à me faire sentir terriblement orpheline, et j'ai mal! La nostalgie de la petite école et de ses mérites fait son apparition. L'ennui m'envahit et m'isole. Bien qu'à cinq kilomètres de la maison, le règlement stipule uniquement un séjour aux grandes fêtes et une visite au parloir après la messe du dimanche.

Les loisirs se limitent à de longues promenades dans les rues désertes du village que nous finissons par parcourir les yeux fermés. Derrière les portes closes se cache l'histoire personnelle de chacun qui nous est racontée par ragots et amuse notre curiosité.

Maintes règles de politesse et de bienséance sont mises de l'avant et me laissent perplexe, comme celle de demander explicitement le bonsoir avant l'extinction des lumières du dortoir. En chœur, avec un brin d'ironie, nous retournons un « bonsoir, Mère » et, dans le silence, s'envolent nos rêveries de petites filles loin de leur milieu familial tout en laissant monter l'envie des gars et des filles de notre âge qui se promènent dans les rues main dans la main.

Une année académique s'écoule. Adaptation lente, progressive. Apprentissages efficaces.

Je retourne au milieu des miens, à mes champs, à ma campagne pour la période estivale.

Puis, les jours raccourcissent, les couchers de soleil deviennent plus flamboyants. Septembre se pointe et annonce une nouvelle rentrée scolaire. Sans euphorie, mais déterminée, me voilà à nouveau sur le chemin des écoliers, effectuant un périple de deux ans, direction École Normale. Cette fois, je vais à la rencontre d'une formation pédagogique me projetant vers une profession dessinée à l'avance et que mes parents appellent leur héritage.

Riche de bases académiques solidement acquises, je repars donc munie de la même grosse valise carrée en bois massif, utilisée l'année précédente. Elle est remplie à craquer d'effets personnels préparés minutieusement sous l'œil vigilant et attentif de maman qui ne veut pas être inquiète, disait-elle, et souhaitait ainsi avoir plus de temps à consacrer aux autres membres de la famille.

Je garde mon baluchon invisible à portée de main. J'aurais aimé l'enfermer dans ma valise vidée de son contenu et remisée au sous-sol, mais, hélas ! il demeure encore trop accaparant, inhibant : je ne parviens pas à m'en débarrasser. J'arrive cependant à épouser de mieux en mieux les exigences de ce milieu encadré, ascétique, où tout doit converger adroitement, dit-on, vers la formation académique, personnelle et religieuse.

Heureusement, je récolte des succès scolaires, ce qui a pour moi un effet thérapeutique. Je n'échappe cependant pas à quelques mésaventures, tel cet incident survenu lors d'un examen final de fin d'année. En ce temps-là, rater un seul examen obligeait à reprendre l'année scolaire en entier. Le stress déjà installé depuis l'avant-veille, le moment venu, je me retrouve totalement paralysée devant ma page blanche, et la peur de l'échec s'empare de moi. Que diraient mes parents qui se serraient la ceinture pour assurer les frais du pensionnat ? Quoi donc raconter sur un vieux parapluie sorti de la poussière du grenier, objectif visé de la composition ? Les mots s'éclipsent, l'esprit se brouille. Comment donner vie à un objet inanimé ? Je suis figée, regarde l'heure plus que ma feuille, tente de démissionner et me concentre à nouveau. Le surveillant circule, s'arrête, discret : « Essaie ! », glisse-t-il. Tourmentée et indignée devant mon manque d'imagination, j'essaie encore et encore : je ne peux défier le temps ni contrôler l'absence d'inspiration. Elle monte enfin, et les dernières minutes deviennent plus productives. Mon honneur, ma réputation sont épargnés, mon année scolaire sauvée ! Je conserve précieusement mon relevé de notes : 6 sur 10 ! « Ouf ! J'ai passé ! »

Curieusement, je reste fascinée par ces objets porteurs de message, du mystère de leur histoire. Lamartine disait : « Objets inanimés, avez-vous donc une âme ? » Si mon parapluie m'avait chuchoté ce jour-là qu'il était un témoin : témoin des gens pressés de trouver un abri sous l'ondée, témoins des nombreuses allées et venues de passants affairés ou flâneurs, de ces rencontres inattendues ou espérées, témoins des pensées secrètes et des rêves insoupçonnés. S'il m'avait révélé qu'il était un toit protecteur pour les sans-abri. S'il m'avait dit : « Continue ta route, n'arrête pas malgré la morosité des jours sombres et pluvieux », ou encore, s'il m'avait dévoilé son privilège de faire des vagues dans une foule, d'imiter le pare-soleil, de jouer de l'élégance, de donner un air de fête aux spectacles estivaux impossibles à reporter.

Aujourd'hui, quand les bourrasques se font trop violentes, mon parapluie me joue des tours et se retourne contre moi. À mon tour de riposter et de lui répondre : « Ma bataille n'est pas perdue, mon vieux ! »

Objets relégués dans les mémoires, au fond d'un grenier énigmatique, l'absence, l'oubli ne servent-ils pas à accroître l'importance des choses, à donner la couleur de l'arc-en-ciel aux rêves sauvegardés ? Vous, parapluies conventionnels ou flamboyants, usés par le service ou sauvegardés de l'outrage, de toutes couleurs ou formats, je vous aime tous, que vous soyez grands, émeraude, bleus ou gris.

Sous le parapluie, la pluie n'a plus le même effet.
Elle devient amicale.
Symboliquement, on laisse couler cette pluie en soi,
on se laisse par elle atteindre profondément
avec d'autant plus de plaisir qu'on se sent à l'aise.

DENIS PELLETIER

Mon parapluie m'a sûrement chuchoté un jour que j'étais sur une bonne route puisque, à dix-sept ans, je me vois décerner avec bonheur un brevet d'enseignement. Je suis soi-disant prête à affronter le monde du travail, l'organisation scolaire, les compétitions, le regard des parents, l'accompagnement de la vie de ces tout-petits confiés à mes soins. Le plus grand obstacle est sans contredit de faire face à mes insécurités bien enfouies là où se réfugient mes craintes les plus secrètes de ne pas être à la hauteur du mandat futur.

Mais la tâche qui t'attend
n'est jamais aussi grande
que la force qui t'anime.

ALCOOLIQUES ANONYMES

À la remise des diplômes réunissant les parents et les grandes autorités civiles et ecclésiastiques, m'est décerné le prix prestigieux réservé au plus méritant pour son sens et son approche pédagogiques et considéré par tous comme le prix par excellence. Cette étonnante surprise me réconcilie avec moi-même, atténue un peu mes peurs, mes appréhensions, mon manque de confiance. J'ai peine à en croire le mérite, d'autres l'ont fait pour moi. Il jalonne le chemin décisif, donne le coup d'envoi à ce qui m'apparaissait redoutable, insurmontable.

Mon enfance et mon adolescence furent truffées de bouillonnements intérieurs. Le baluchon dissimulé de mon enfance m'a suivie, rempli de conflits, d'émotions, de perturbations. Comme j'aurais aimé y creuser des trous pour ventiler, pour permettre à l'angoisse de s'atténuer, pour mieux respirer, mieux dormir. Il détient toujours ce secret imposant, me maintient dans un étau qui vole et voile ma jeunesse, l'âge des plaisirs et de l'amour où l'on veut vivre sans soucis, crier sa joie de vivre et sa liberté.

Mon secret, mon drame

On ne sait pas toujours à quel point les enfants
Gardent de leurs blessures un souvenir cuisant
Ni le temps qu'il faudra pour apprendre à guérir

YVES DUTEIL

Comportement irréprochable, studieuse, je me retranche pourtant dans un univers lointain, à l'écart, secrète, mystérieuse, fragilisée. Yeux cernés, teint décoloré, songeuse pendant des heures, mes parents s'inquiètent, multiplient les allers-retours chez le médecin. Le diagnostic reste toujours négatif. Que se passe-t-il ? Moi qu'on qualifiait de rieuse, enjouée, vivante. Quel est donc ce mal intérieur qui me hante, me poursuit, dévore mes énergies, atrophie ma vie ? Moi seule en détiens le secret et le garde obstinément sous scellé.

Je vis mon drame, mon tumulte intérieur, mon histoire, mon secret. Je plonge dans une zone de turbulence, au cœur d'un abîme de souffrances si pénétrant, j'étouffe, je trébuche dans ma coquille. À l'âge de l'innocence, aux prémices de ma vie, je me retrouve nez à nez avec de sauvages agresseurs sexuels, ces traîtres, ces criminels, ces pervers qui ont fait basculer ma vie, ont violé mon innocence, souillé ma qualité d'être et de devenir.

Oui, un jour, en ce jour toujours présent, longtemps obsédant, c'est tout mon être d'enfant, fragile comme un cristal, qui a volé en éclats. Il m'a fallu près d'un demi-siècle pour rassembler mes morceaux, me reconstruire, refaire surface.

Ces abus répétitifs, ces rencontres profondément blessantes, brutales, culpabilisantes, m'ont laissée chaque fois plus meurtrie, plus prisonnière, plus seule, plus abandonnée. Je n'avais plus accès à la joie, au bien-être, à l'enfance, à la vie. Sans comprendre, je deviens objet de plaisir, de fantasmes malsains, d'horreurs, d'hypocrisie, de gestes répugnants.

Je suis un appât : on prend mon corps d'assaut, on envahit mon intimité, le jour, le soir, le long de la route, au chevet du sommeil paisible d'un enfant dont je suis la gardienne, etc. Peurs, appréhensions, tremblements, cauchemars me hantent sans cesse. Sous le sceau du silence, de la honte, de l'intolérable, de l'humiliation, je suis projetée de plein fouet dans un monde de perversité, d'interdit. C'est la lutte vorace, silencieuse, secrète qui s'engage sur un interminable parcours épuisant, insoutenable. Où donc me barricader sinon au plus profond de mon être ?

Je m'enfouis dans les replis de mon âme, lieu hermétique où personne ne devine, personne ne soupçonne, personne ne peut donc m'atteindre. *Personne.*

Personne pour identifier mes peurs. Peur d'être mal comprise. Peur que les mots échappés attirent sur moi mépris, jugement, trahison, rejet. Peur que les mots, me suis-je souvent répété, n'arrivent jamais à traduire l'intensité, l'amertume, la douleur, le désarroi qui m'habite. Je prends alors la décision ferme de « m'arranger toute seule ».

La plaie est vive, ouverte, profonde. Je m'habille de tristesse et me cloisonne dans un univers impénétrable. Omerta commandé à la source, sans aucun doute, mais mutisme qui crie mon mal d'être et de vivre, ma peur de sombrer dans un déséquilibre fatal, d'être confinée à mon impuissance et à ma vulnérabilité. Silence qui crie, hurle mon besoin de trouver quelqu'un pour prendre ma défense, me protéger contre ces assauts ravageurs à répétition, pour me dire chaleureusement : « Tu es belle quand même au dedans. » Mais les aurais-je crus, moi qui étais alors si convaincue du contraire ? J'ai crié en silence longtemps, trop longtemps. J'ai erré pendant des années et des années sur ce chemin atypique sans trouver la sortie de secours. J'ai tenté en vain d'oublier, de sublimer, d'échafauder des avenues de libération.

Qui donc aurait pu me recevoir, me comprendre, m'apaiser ? Ma mère ? Mon père ? Peut-être… Assurément. Je n'ai pas pu… J'avais érigé d'infranchissables barricades, la confiance en moi était détruite à ce point. Et mes agresseurs, des personnes de mon milieu, étaient perçus comme intègres et respectables aux yeux de mes parents. Prendre le risque, être confrontée aux réactions, lever le voile, dénoncer : rien n'était à ma mesure de petite fille. Mes frères ? Mes sœurs ? Peut-être. Je n'ai pas pu, le malaise était trop profond. Avec l'intention ferme de protéger mes sœurs, je me suis maintes fois prêtée, à leur place me disais-je, au piège qui me guettait. Je n'aurais pu supporter qu'elles subissent le même sort : leurs souffrances auraient accentué la mienne, déjà à son comble.

De faire alliance avec elles pour sortir de cette impasse aurait-il été possible ? À mes yeux d'adulte d'aujourd'hui, certes oui, mais au regard traqué de la petite fille d'antan, cette solution était impossible. Alors ne restait que la lutte à continuer comme si la vie allait de soi, toujours blottie au fond de mon être vulnérable, et souffrant de ne pouvoir communiquer l'indigne blessure toujours aussi virulente.

Impuissante à dénouer ce nœud qui étrangle ma vie, où trouverai-je donc le courage d'avancer encore ? L'amour des miens, les succès académiques accumulés suffiront-ils à maintenir l'avancée de mes pas, à redécouvrir ma beauté intérieure et à libérer mon baluchon ? Il me faudra avec le temps m'agripper à cette lueur tonifiante faite de support et d'aération, découvrir mes points d'appui, retracer des sources calmantes et faire appel à mes forces intérieures. Long, très long cheminement.

On ne peut espérer si on ne lutte pas.
On ne peut lutter si on n'espère pas.

ALAIN NAUD

Yeux voilés, mains ouvertes

Je vous dis que lorsque vous travaillez
vous accomplissez une part du rêve
le plus lointain de la terre,
qui vous fut assignée lorsque ce rêve naquit.
Et en vous gardant unis au travail,
en vérité vous aimez la vie,
et aimer la vie à travers le travail,
c'est être initié au plus intime secret de la vie.

KHALIL GIBRAN

Avec cette force invincible taillée au cœur de mes incertitudes, de ce tumulte intérieur qui m'envahit à chaque pas, je marche les yeux voilés et les mains ouvertes à la reconquête d'une liberté perdue, d'une beauté à refaire. Je veux vivre, m'émerveiller, m'étonner, vibrer malgré l'étau qui m'enserre. Fière de mon diplôme d'enseignement chèrement acquis, je pars donc, à dix-sept ans, à la découverte de cette longue trajectoire de mes trente-neuf années de carrière professionnelle.

Déterminée à obtenir un emploi à la Commission scolaire de Trois-Rivières, je me présente à l'entrevue, accompagnée de papa et de ma sœur qui a l'expérience de l'enseignement à la «petite école» et qui fera désormais route avec moi. J'ai le cœur rempli d'émotions, les pas aussi chancelants qu'un enfant qui apprend à marcher.

On m'assure sur-le-champ que ma demande est acceptée et que je recevrai confirmation dans les prochains jours. Je jubile ! Les talons hauts, la robe à pois, les cheveux permanentés n'ont pas trahi mes dix-sept ans, là où je devais afficher une maturité certaine. La seule condition émise est d'être présente les lundis matins, étant donné que je quitte la ville pour les fins de semaine ! Nous sommes à la fin des années 1950, en pays froid, et les poudreries sont fortes, surtout à la campagne !

Je devrai affronter les angoisses d'un isolement au cœur d'une ville bruyante qui, selon mes capacités d'orientation, m'apparaît être la plus étendue au monde. Mais c'est l'ouverture à une nouvelle façon de vivre, de penser, de sortir de mon isoloir, de m'éloigner de mes démons du voisinage et me protéger des assauts qui continuent de me poursuivre.

Ce déplacement campagne-ville semble anodin et naïf en notre ère de communications et de voyages interplanétaires. Aventurière et avide de liberté, je crois avoir vécu la même fugue que ces jeunes qui partent sac au dos et sandales aux pieds pour Katmandou, la Terre de Feu ou l'Hymalaya. C'était aller au-devant des défis souvent plus personnels que carriéristes.

J'écourte une période de convalescence imprévue, et septembre 1954 se dresse comme une levée de rideau. Je me concentre sur le nouvel et lointain horizon qui m'échoit. Je respire le vent qui vient à ma rencontre, je me laisse pénétrer d'espoir, colmatant mes courants d'air intérieurs. Les malaises et les cris de mon enfance s'atténuent. Je pressens déjà que les responsabilités prendront une place importante et feront partie de mon processus de guérison intérieure où l'estime de moi sortira vainqueur. Le calme s'insinue, s'intensifie. Je lisse mes ailes pour la tâche qui s'annonce.

Ce matin-là, je devance l'heure de la rentrée des élèves. Je me faufile timidement par la porte de côté, longe les longs et interminables couloirs et, de loin, j'observe. Récits de vacances, retrouvailles, fébrilité. Le personnel enseignant, complice, fait mine de me confondre avec l'une des élèves nouvellement inscrites. Compliment ou invitation à faire montre d'autorité ? Naïveté perçue ou maturité en ascension ? J'entre de plain-pied dans le premier défi de ma carrière. Défi terrifiant qui fait volte-face à toutes résistances. Adieu, petite fille qui voudrait retourner jouer dans son carré de sable ; bienvenue, jeune adulte qui poursuit son idéal afin de bonifier sa vie !

L'enthousiasme rôde. L'accueil chaleureux me réconforte. Les groupes se forment. J'entends une voix venue comme d'un autre monde : « Mademoiselle Isabelle, 2e année A, niveau élémentaire, quarante-deux élèves ! » Je frissonne, retiens mon souffle. Trop tard pour faire demi-tour et remonter le temps. Résolument, à tout prix, j'irai de l'avant, je mènerai à bien cette mission !

Harassantes sont les premières semaines ; le travail débute tôt, finit tard, réclame énergie et persévérance. Soutenue, entourée, j'apprécie l'aide et l'appui venus de toutes parts et qui facilitent mon intégration. Et je m'amuse sagement dans cette fourmilière de bonne volonté.

Ces fillettes avides de connaître et d'apprendre, grouillantes de vie et débordantes de gratitude, leurs yeux qui s'ouvrent sur la candeur, la sincérité, la confiance, la spontanéité, éveillent en moi un profond attachement. À l'aurore de votre vie, petites filles, que j'envie votre innocence, votre limpidité, votre vie qui reflète tant de vérité !

Je me souviens de Colette. Intelligente, cheveux en broussailles, l'air farouche, toujours en retard ou absente sans raison donnée. Un jour qu'elle se présente en fin de matinée, je l'interpelle sèchement avec impatience : « Pourquoi ce nouveau retard ? » « Je n'ai pas dormi. Il faisait trop froid dans la maison et mon frère n'a pas voulu me tirer le chat pour me réchauffer. » Estomaquée, sans mot, je n'ai jamais pu poser le même regard et porter le moindre jugement sur Colette et plusieurs autres frimousses que j'ai connues et qui m'ont dévoilé sans pudeur l'immensité de leur misère. Comment sont-elles parvenues à saisir un brin de bonheur et un coin de la beauté du monde ?

Mille réflexions m'ont invitée à survoler les apparences pour aimer tout simplement. J'ai appris avec beaucoup de tristesse que la leucémie avait donné à Colette, quelques années plus tard, les ailes d'un ange. Elle m'a « initiée aux plus intimes secrets de la vie[5] ». Je médite encore sur ces brefs et mystérieux passages de la vie. D'autres remportent le combat et continuent la Grande Marche.

Mes petites « m'ont fait accomplir une part du rêve le plus lointain de la terre[6] ». Ces quatre années ont présidé aux destinées de ce grand voyage professionnel. Elles ont conforté mes débuts et raffermi mon choix de carrière. À l'œuvre sous d'autres cieux et d'autres bannières, j'effectuerai d'autres tracés géographiques et géométriques et je me souviendrai tendrement de ce qu'elles m'ont fait vivre à l'aube de mes dix-sept ans. Bon pied, bon œil, j'irai d'espoirs en expériences sur des terrains à essarter, d'autres défrichés d'avance, toujours à la pointe du cœur, guidée par l'intuition, contournant les écueils, gardant l'espoir, la tête et le cœur hors du tumulte.

Je construis mes dessins, mes ancrages, mes enracinements, pose les jalons de ma vie d'adulte. Ma vie sociale se retrouve entre parenthèses. J'investis au travail toutes mes énergies et ma créativité. Vie trépidante, je m'engage de front sur tous les plans au rythme du quotidien, au rythme des années, avide d'affermir des connaissances pour embrasser plus grand et me rendre digne de la mission confiée. Je vais aux sources des grandes tendances éducatives, je frappe aux portes de grands maîtres et reste en éveil sur de nouvelles tendances.

Vaillante à l'orée du grand bois, j'empile les mille trésors laissés par la vie sur le chemin des écoliers. Ils me sont précieux pour la reconstruction de mon être et libèrent mon baluchon.

Bien jeune, je débute une feuille de route qui m'a menée à des réussites sans doute, mais qu'est-ce que la réussite ? L'auteur Ralph Waldo Emerson la définit ainsi :

C'est rire beaucoup et souvent.
C'est gagner le respect des gens intelligents
Tout autant que l'affection des enfants ;
C'est mériter l'appréciation des gens honnêtes
Et supporter la trahison des faux amis ;

C'est apprécier la beauté des êtres ;
C'est trouver en chacun le meilleur ;
C'est apporter sa contribution, aussi modeste
soit-elle :
Un enfant bien portant, un jardin en fleurs,
Une vie qu'on a rendue plus belle ;
C'est savoir qu'on a facilité l'existence
De quelqu'un par notre simple présence.

Puis-je m'attribuer cette force de réussite ? Qui peut isoler ses succès versés dans la marée des efforts humains ? Je garde au cœur la satisfaction d'avoir contribué, au meilleur de moi-même, à ma part d'humanisme.

Parcours par monts et vallées, avide de connaissances, j'ai sous les yeux l'exemple de mon père qui, à soixante-quinze ans, s'inscrit à un « cours de personnalité » destiné à des jeunes en quête d'eux-mêmes. Ainsi, il pourra s'exprimer avec aisance quand le ministère de l'Agriculture du Québec nous décernera, en 1979, le titre de « Famille terrienne de l'année », honneur envié par les agriculteurs de cette époque et dont nous avons gardé une grande fierté.

En secret, papa concocte son discours – *Comment je crois avoir réussi ma vie !* – exprimé avec élégance, ce soir-là, sous un tonnerre d'applaudissements. Cher papa, ne m'avez-vous pas insufflé une énorme dose de courage et de détermination pour en imbiber ma vie à jamais !

« Je reste réceptive aux messages de la nature, de l'homme et de l'Infini[7]. »

À la croisée des chemins

Le pas que je fais aujourd'hui
n'efface pas celui que je fis hier
Le chemin qui va vers demain
ne détruit pas celui qui m'a mené jusqu'ici

GILLES VIGNEAULT

Carrière bien démarrée, liens reconnus dans le milieu de travail, participation à des mouvements d'action catholique très actifs à l'époque, contacts sociaux et amicaux valorisants, la routine refuse de s'installer et j'ai le vent dans les voiles.

Cependant, le chemin vers demain ne m'est pas indifférent. La coquetterie, la séduction, la sensualité m'allument et je recherche les lieux privilégiés de rencontres masculines. Je vagabonde discrètement, rêve à ciel ouvert, profite de petites incursions inoffensives, prends goût au plaisir de vivre, de rire, de danser, et laisse pivoter le « toujours » d'une union durable.

Vingt ans… folies et enchantement, jeunesse et passion ! Silencieusement, je débroussaille cette route de l'amour, attirante, alléchante, laissant place à une réciprocité affective. Qui sera ce prince charmant, beau, grand, possédant toutes les qualités du monde ? Qui sera le gardien de mes fidélités et de mon alliance ?

Dans mon entourage, les couples se forment, les familles se créent, suscitent mon envie.

Parallèlement, secrètement, je laisse monter de l'intérieur avec la même intensité, la même fébrilité, la possibilité de m'engager sur une nouvelle voie. Changement radical de cap donc, qui comporte des risques importants, inspire une tout autre vision de mon devenir, un champ d'action plus diversifié qui devrait mener à mon épanouissement personnel. Ce choix repose sur un don de vie, une consécration à Dieu, une disponibilité au service des autres. Dans le contexte laïque actuel, ce vocabulaire, ce style de vie semble dépouillé de son sens, mais les élus des années 1950-1960 sont louangés et nous en parlons en termes de vocation, d'appel divin.

Le jeu du balancier s'installe, et j'avoue que l'engagement religieux et social prennent une large part dans mes réflexions. Tant et tant de bouleversements ont besoin d'être mis en lumière.

Une révolution
dans nos façons de vivre
ne peut commencer
qu'à l'intérieur de nous-mêmes
Stanley Cavell

À la croisée des chemins, dans un carrefour, sur un pied d'alerte, comment transcender les sillons d'une vie de famille ? Comment renoncer à l'amour humain sous la forme d'une vie de couple ? Comment répondre avec des mots ? La réponse vient plutôt d'un appel de l'intérieur. Avec de plus en plus de ferveur, je laisse s'infiltrer le désir de donner une dimension religieuse et sociale à ma vie. Pour ce faire, je dois connaître un groupe d'appartenance qui soutienne ma motivation, stimule mon action, un groupe en qui je peux faire appel pour vivre mes croyances, ma foi, mes valeurs et en qui je me reconnais dans le champ apostolique auquel j'adhère.

Intuitivement, je prendrai la décision, selon le récit de Susanne Tamaro dans son livre *Va où ton cœur te porte*. Mais dans quelle direction vais-je aller ?

La publicité est généreuse sur les différentes communautés religieuses et ma curiosité ne fait pas défaut. Je suis attentive à l'expérience de ces femmes de générosité et de don d'elles-mêmes. La vie contemplative est longuement soupesée, analysée. Cette vocation me semble plus ultime, plus sublime, avec ses invitations au cœur à cœur dans la prière, le recueillement, le silence, le chant sacré. Mais le « toujours », la grille et l'inactivité apparente m'effraient beaucoup trop et, sans regrets, je n'aurai jamais à en faire l'expérience.

Mon cœur se porte plutôt vers l'autre extrémité, celle qui m'habite, celle qui me veut en action, en continuité avec une mission éducative amorcée, une spiritualité assurée, et j'opte pour un institut séculier : les Oblates missionnaires de Marie Immaculée. Institut jeune, qui n'a que huit ans d'existence, dynamique, en pleine expansion.

Ces Oblates sont missionnaires au Québec, missionnaires dans les autres provinces du Canada et missionnaires en beaucoup de pays étrangers déjà.

Ces jeunes femmes, tantôt appelées Mademoiselle, tantôt appelées sœur, exercent un rayonnement impressionnant et s'intègrent dans les milieux les plus démunis de la planète avec un sourire, un dévouement qui ne se dément pas.

Une invitation me propose de les rencontrer à la Maison centrale située à Cap-de-la-Madeleine. Une visite-éclair me laisse à la fois perplexe et emballée. La nudité des lieux ne m'impressionne pas tellement. L'atmosphère est à la joie. Les chants d'amitié, d'action de grâce, de prière sont fredonnés, parvenant de tous les coins de la maison. L'équipe est jeune, dynamique, entreprenante. L'une arrive, l'autre part dans un tourbillon d'action, de dévouement de chaque instant. Je suis en arrêt sur cette voie d'accès, « voie de service » qui laisse une large et grande ouverture à ma recherche vocationnelle.

Je fais la conaissance du père Louis-Marie Parent, fondateur de cet institut. Regard perçant, homme de Dieu, homme de foi, homme de grandes inspirations, de charisme, homme d'avant-garde ! Rencontre aussi avec les autorités en fonction à peine plus âgées que moi, mais quelles énergies émanent d'elles et les animent ! Elles sont inspirantes, accueillantes. Mes démarches se précisent, deviennent déterminantes. Je repars avec une boussole à la place du cœur, une intention vacillante, l'impression nette d'avoir été conduite par l'Invisible.

Je nourris mes réflexions par un cours d'orientation vocationnelle, cours guidé d'une durée d'un an qui remet mes motivations et objectifs de vie en lumière, soupèse mes capacités d'y faire face, conduit à une meilleure connaissance de moi-même et mesure le pour et le contre de toutes les avenues envisagées.

Je fais ensuite une halte sur les terrains du sanctuaire dédié à la Vierge à Cap-de-la-Madeleine. J'écoute, je veille toute la nuit dans ce havre de paix, refuge sécurisant, paisible. Je me sens accueillie comme si j'étais seule au monde, dans le silence, dans l'appel du dedans, dans la réconciliation. Les grands dénouements ne peuvent se jouer qu'à l'intime de soi, j'en fais l'expérience. Dans la plus pure sérénité, je confirme mon choix et signe dans la prière et le recueillement un pacte de Vérité avec Dieu, avec moi-même. Les couleurs de l'avenir sont vermeilles, peintes sur un grand tableau.

J'habille mon cœur et, convaincue que les plus grandes et les plus belles réalisations ne se trouvent que dans le mouvement de la vie, mes yeux restent rivés sur l'inconnu, sur une autre rive, au large de la mer du monde. J'apporterai dans mes bagages ma jeunesse, mon dynamisme, mon humour, mon âme d'aventurière, ma solidarité. J'apporterai aussi mes fragilités ; je resterai à la conquête de ma reconstruction intérieure amorcée ; mon baluchon est moins lourd !

Je fais la grave annonce de ma décision à ma mère. L'échéance pour assumer sa réaction est brève : trois semaines encore ! Ce jour-là, j'aurais voulu être capable de lui dire, dans nos larmes entremêlées, que je voulais tout simplement exprimer ce que je suis : femme d'action, femme d'absolu avec un cœur de missionnaire ! J'aurais voulu lui dire que je pleurerais, que je rirais, mais que j'étais à la conquête de mon bonheur et de mon épanouissement. Cet idéal n'avait-il pas germé au sein même de la famille ? Elle le savait, respectait ce choix mais, dans son cœur, j'étais toujours sa petite fille qu'elle voulait protéger des faux-pas.

Trop respectueux de mes choix pour s'y opposer, cette adhésion suscite quand même chez mes parents beaucoup de questionnements. Ils s'interrogent sur la stabilité de ce jeune institut, sur les chances qui me sont données d'évoluer, de m'épanouir. Ils voient partir leur fille pour vivre sa vie à contre-courant ! Pourquoi ne pas opter pour une communauté traditionnelle : le couvent, le costume, l'encadrement plus rigoureux, la formation plus parfaite à leurs yeux, le retrait du début avec postulat et noviciat ? Pourquoi pas dans une communauté qui détient tous les titres de noblesse, etc. ? Je les comprenais, nous étions constamment confrontées, nous, les oblates, à ce type d'interrogations. Vues de l'intérieur, les réponses sont plus convaincantes et plus rassurantes. C'est dans l'Institut des Oblates que j'ai choisi de vivre et c'est là que j'ai vécu à corps perdu comme dans une seconde famille énergisante.

Je vole en toute liberté
Vers des mondes à apprivoiser
Première conquête à réaliser
Symbole des autres conquêtes
Plus intenses
Plus subtiles
Plus intérieures
Mystérieux souffle de l'âme
Où germe une Lumière
Plus infinie que l'infini
Elle illuminera mon regard
Et viendront de nouveaux départs.

MARIE-ANGE BOUCHARD

« Je vole vers des mondes à apprivoiser » et je fais le grand saut en juillet 1958. Dès le lendemain de mon arrivée, encore sous le choc et l'émotion, aux aguets sur tout ce qui se vit de l'intérieur, mal à l'aise avec les lieux et les habitudes de vie, je suis invitée à revêtir le blazer marine et la jupe grise, alors signes distinctifs d'une oblate déjà reconnue ! Je suis assignée au service des tables à la Maison du Pèlerin. Mes habiletés ne sont pas de cet ordre mais l'expérience ne dure que le temps d'une menue intégration. Je m'applique, je donne raison à ma disponibilité, à l'un des aspects de notre spiritualité, et je comprends vite le sens des mots altruisme et simplicité.

Je vivrai de belles années de mon existence imbibée de cette spiritualité basée sur les messages évangéliques. Elles ont illuminé mon regard sur moi-même, sur les autres, sur l'humanité.

Suivre à la trace ta présence
Partir sans briser les amarres
Partir sans faire de départ
Seulement me trouver quelque part

JACQUELINE LEMAY

Période charnière

L'essentiel
ce n'est pas de savoir où va la route
mais plutôt de sentir que l'on est sur le bon chemin…
C'est la magie du cheminement

Renée Pelletier

Le temps est déjà frileux, le ciel bleu, les eaux limpides. Les oiseaux donnent des spectacles, s'amusent, chantent, c'est un jour de septembre. Je me dirige, le cœur « à marée basse », vers l'école Saint-Charles-Garnier de Sherbrooke pour prendre sous ma responsabilité une classe mixte de 4e et 5e années de niveau élémentaire. Jeunes au seuil de leur adolescence, qui vivent isolés de la ville, capables de beaucoup de bruit et de confrontations, m'avait-on informée. J'allais à leur rencontre, timidement, mais prête à relever le défi.

À la pointe du jour, je prends le traversier au quai de Trois-Rivières ; l'autobus assure la relève de l'autre côté. Une équipe de quatre oblates, aussi passionnées que moi de pouvoir conquérir le monde, m'attend et m'accueille avec beaucoup de chaleur, ce qui contraste avec l'isolement avec lequel j'ai voyagé, et je me sens réconfortée.

Le trajet est pénible : mes pensées se bousculent, s'entrechoquent, discutent entre elles, ne se mettent pas d'accord, tournent sans se poser. J'appréhende, je me vois filer à contresens et me fais fuyante sur ce qui m'attend. J'ai du mal à accrocher mon cœur à cet univers inconnu, à ce changement si radical et à laisser derrière moi famille, école d'hier, amis ! J'essaie de me recentrer, de saisir ce que j'appelais « donner un nouveau courant à ma vie » et me marier à ce paysage majestueux qui s'offre dans toute sa splendeur. Je me sens bien à l'étroit avec ce choix pas si lointain que je tente de faire miroiter à nouveau.

J'étais plutôt en harmonie avec cet état d'âme :

C'est une journée pour être en amour
Pour se faire plaisir sans en regarder le prix
S'accrocher le cœur à des petits riens
Trouver le goût du rire
Pour avoir dans la tête plein de chansons
D'un bout à l'autre de la maison.

C'est une journée
Pour laisser faire les papillons dans l'air
Pour ouvrir grandes portes et fenêtres
Avec un reste de peurs à la pointe du cœur.

LOUIS-GILLES MOLYNEUX

Maintenant, je crois sincèrement que tous ces détours importants supposent des perturbations intérieures. Je n'y peux rien, je n'y échappe pas. Je ne suis pas encore marquée au sceau du moment présent, très cher à l'Institut, pour conserver tout mon calme, couper mon anxiété et vivre le meilleur de ce qui se présente ici, maintenant, là, sur mon chemin, dans l'autobus, et « nourrir le rêve jusqu'au soir » (Lou0s-Gilles Molyneux).

C'est bien plus tard que je mesurerai l'ampleur de ce mouvement de vie. Vouée au don de soi, comme son nom l'indique, à la fidélité à Dieu envers qui j'ai fait de très grosses promesses par les vœux sont vécus avec une rigoureuse fidélité. À la réflexion, les défis, les dépassements qui jalonnent les sentiers et donnent des rendez-vous peuvent ressembler à de l'escalade. Les montagnes s'attaquent avec les mêmes frissons, les accomplissements sont transfigurants.

J'arrive finalement à destination. Ma grosse valise carrée d'antan, fidèle alliée, m'a précédée. L'entrée principale est à l'étage des classes. Je longe un petit corridor pour faire face à un escalier étroit, à pic, que je dois emprunter et me voilà dans ce logement sans prétention, annonciateur de modestie et de simplicité. Le repas du soir est animé. Nous nous apprivoisons mutuellement. Dès le lendemain, nous nous affairons aux préparatifs de la rentrée scolaire ; la cloche sonnera dans quelques jours et ce sera la vie qui bouge ! Les succès des unes deviennent les succès des autres, le dévouement est constant, les projets se réalisent en commun, une grande solidarité s'établit et de belles et grandes amitiés se nouent.

J'enseigne trois ans à ces jeunes au seuil de l'adolescence et remplis de promesses, de détermination, de remises en question. Ils ont le don de me mettre souvent en déroute. Je ne les oublie pas pour autant. Certains noms me reviennent encore à la mémoire : ceux qui appelaient au secours, ceux qui se réfugiaient dans leur passé dévastateur, ceux qui ne voulaient rien savoir, les laissés-pour-compte dans notre société, bref, les marginaux.

J'ai souvenir d'une semaine consacrée à l'avenir de la jeunesse lancée au niveau diocésain avec le thème spirituel : « La vie que tu aimes est-elle la vie que tu mènes et la vie que tu mènes est-elle la vie que tu aimes ? » Cette réflexion leur est adressée, mais étonnamment elle me ramène au sanctuaire de mes propres réflexions, au centre de cette adaptation nouvelle que je traverse, dans ces dédales où j'ai peine à reconnaître les pièces manquantes de ce qui englobe les raisons mêmes de ma présence au sein de ce milieu défavorisé, si peu familier. Il est difficile de croire aux joies plus grandes que les embûches ; elles sont moins palpables. Une marche, une autre et j'y arriverai ! Quant à mes jeunes, sont-ils à l'âge de cette grande interrogation existentielle ? Je me demande souvent ce qu'ils sont devenus. Je suis responsable pour toujours de ce que j'apprivoise, selon le *Petit Prince* de Saint-Exupéry. Agités, de la lumière plein les yeux, ils avaient tous les talents pour réussir leur vie et, j'espère, celle qu'ils ont aimée.

En novembre 1997, au Salon du livre de Montréal, j'ai l'agréable surprise de rencontrer Jacqueline Lemay, auteure, compositeure et interprète. Elle m'autographie le livre qu'elle vient de publier aux Éditions Fides : *Le temps d'une chanson*. En page couverture, elle est belle, rayonnante, la même que j'ai connue presque quarante ans plus tôt. Elle a été ma première directrice à l'Institut, à Sherbrooke précisément. Belles, belles retrouvailles ! Le temps de se donner rendez-vous.

Je repère vite ce qu'elle dit de moi dans son livre et je la cite : « Comme un ciel d'été glisse de l'ombre à la lumière au gré des nuages, tout se lit sur le visage de Claire. Tour à tour gaie, sensible, inquiète ou moqueuse, Claire a la voix claire comme son nom, entremêle larmes et rires sans fausse pudeur, elle a le cœur sur la main et vit ses vœux sans apparente frustration. » Et plus loin, elle ajoute : « Je ne saurai jamais l'évaluation exacte qu'elle m'accorde en son for intérieur. »

Eh bien ! Jacqueline, il n'est jamais trop tard pour faire une évaluation. Comment te dire jusqu'à quel point tu as été inspirante à cette période charnière de ma vie ? Dynamique et dynamisante, je méditais tes chansons, je les fredonnais fièrement, je me les appropriais comme des cris du cœur, comme des appels et des réponses. Je meublais les rendez-vous avec moi-même. *Don total*, *Paix du soir*, *Apôtre à 20 ans*, *Sur la route claire*, etc.

Un aveu aussi pour toi. Alors que je pensais écrire mon récit de vie bien avant que je te côtoie, j'ai jonglé avec l'ombre et la lumière. Ta perspicacité m'a mise à nu et c'est un chemin que tu as dû emprunter bien souvent. Je savoure pleinement ces bons moments de rires, de jeunesse, de complicité, de détente, de promenade dans les sentiers « du soir », en face de l'école. Je savoure cette façon que nous avions de faire danser la vie. Plus récemment, ton concert à la Place des Arts m'a offert un bouquet de nostalgie, d'énergie, de fierté ! Tu t'es dévoilée sans pudeur, avec des mots, ta guitare, ton âme, devant un auditoire assoiffé d'être atteint de l'intérieur. Tu as répondu fidèlement, généreusement à leurs attentes, à mes attentes aussi. Merci… et nos routes se croiseront à nouveau.

C'est une période de transition qui aura duré trois ans et qui reste inscrite au grand livre de ma vie. Tel un enfant qui fait ses premiers pas, j'ai trébuché, me suis relevée, ai appris à me tenir debout, suis allée vers d'autres inconnus, d'autres frontières, vers d'autres petites et grandes responsabilités: je suis restée sur une voie de cheminement.

Septembre 1958, c'était «une journée pour être en amour». Je l'étais à ma manière. Les choses invisibles et irrésistibles se sont manifestées avec le temps. «L'essentiel ce n'est pas de savoir où la route va mais de sentir que l'on est sur le bon chemin[8].»

Le long de la rivière Saint-Maurice

Les couchers de soleil, les champs d'étoiles
les soirées du nord, éclairées par la lune
et les aurores boréales
l'air frais des montagnes
semblent donner la force et la vigueur [...]
Ce grand silence qui apprend à l'âme
l'endurance, l'énergie et la foi

SERGE LAMBERT ET EUGEN KEDL

Une rumeur circule à l'effet que je devrai reprendre ma grosse valise rangée depuis trois ans, me diriger vers une région du Québec et prendre la direction d'une école primaire sélectionnée selon les demandes et les besoins des différentes commissions scolaires. Je vais aux nouvelles et demande à mes autorités si j'ai mon mot à dire. « Oui, me répond-on, un seul : tu dis oui ! » Je repars, abasourdie mais émue de la confiance qu'on me fait. Les vacances s'éternisent et, deux jours avant la fin, on m'informe que leur choix s'est arrêté sur une école située à Lac-à-Beauce, en Haute-Mauricie : milieu défavorisé, isolé, enfants perturbés, aucun soutien psychologique ni pédagogique. Je repense à mes forces et mes fragilités, mes capacités, mes minces expériences. Il me faut de l'ambition et du courage pour croire que, dans l'isolement le plus total, je défendrai la cause de ces démunis, tenterai de leur redonner leur dignité, de guérir les blessures de leur enfance labourée. Suis-je prête à prendre ces risques et être, à vingt-quatre ans, à la hauteur de cette mission ?

Titulaire d'une classe à niveaux multiples, 5e, 6e et 7e années, j'assumerai la direction de l'école et la formation d'une équipe de trois jeunes oblates, dévouées, généreuses, polyvalentes. Avec elles, je ferai la connaissance des familles et des élèves ; et nous pénétrerons plus à fond au cœur de leurs préoccupations et de leurs attentes.

De la maison centrale, située à Cap-de-la-Madeleine, lieu de départ, nous suivons le courant de la rivière Saint-Maurice. Le bout du monde n'est pas si loin, mais là nous attendent des aventures du bout du monde !

Revêtue d'or et de lumière, la rivière se fait rassurante, offre un spectacle de calme, de tendresse, de douceur, de silence ouaté. Le soleil est radieux. L'eau persistante et persévérante bouge à peine, prend son temps. Elle nous fait la promesse de rester aux alentours pour nous soutenir de sa présence et de son endurance.

La beauté de la nature s'affirme et saisit : route serpentée, courbes prononcées, falaises escarpées, clairières offertes pour l'évasion, tout cela crée un trajet baigné dans l'émotion et le recueillement. Méandres et détours suivent le courant de notre âme, couvrent des mots qui ne peuvent s'exprimer.

C'est bien ton tour
De conquérir la vie
La vie, tu verras, c'est une belle aventure
D'abord on saute la clôture
Et puis après, le temps s'en va.
GEORGES D'OR

Moments de vague à l'âme, de résistance devant l'inconnu, d'appréhensions. Dès notre arrivée, nous constatons avec soulagement que la commission scolaire nous laisse la parole, toutes initiatives organisationnelles, encourage l'approche pédagogique, appuie les moyens d'intervenir que nous préconisons. Les parents sont reconnaissants ; ils sentent que nous unirons vaillamment les forces de notre équipe, que nous donnerons le meilleur de nous-mêmes pour assurer la qualité de notre enseignement et de l'éducation à leurs enfants. Nous devrons, de notre côté, remettre les choses sans cesse en perspective, être à l'écoute, user de compréhension, de fermeté.

Vivre un engagement personnel de cet ordre résonne comme un refrain, prend tout son sens. Il confirme la promesse que j'ai faite d'être au service des autres. Des ramifications vont bien au-delà de l'enseignement, prennent de l'ampleur. Cela, nous l'apprenons dès les premières heures de notre arrivée.

On nous coiffe de tous les chapeaux : des hauts de forme, des comiques, des asymétriques, des affriolants ; d'autres aux rebords trop larges. Mes alliées portent les leurs, pas toujours faits sur mesure, il va sans dire. Je tente de porter les miens avec élégance et le plus sérieusement du monde.

On vient prévenir la « directrice » – appellation avec laquelle je ne suis pas tellement familière – que le curé qui a conquis tous les cœurs et sondé toutes les consciences de ses paroissiens part pour œuvrer dans un autre ministère et, honneur oblige, qu'il faut lui faire une grande célébration d'adieux en impliquant les enfants et les « sœurs », bien entendu ! Téméraire, sans doute, je les rassure : nous serons de la fête et l'organiserons. Les élèves, que nous n'avons jamais vus ni connus, sont convoqués pour le lendemain matin, 9 heures. Nous nous mettons à l'œuvre en utilisant nos moyens « culturels » de fortune : accueil, chants, séances, mises en scène, remerciements et souhaits de départ. Ces exploits théâtraux se renouvelleront souvent dans ma course. La consigne est de faire participer tous les élèves pour se soustraire aux frustrations des parents et aux sentiments d'infériorité qui peuvent se glisser. Moments bien choisis pour crier : « J'aurais voulu être un artiste… » comme Claude Dubois ! Mais nous ne le sommes pas, alors on fait comme si…

Si nous sommes au service de l'Église avec un grand « E », nous le sommes aussi de celle avec un petit « e ». Les paroissiens s'attendent à ce que nous nous occupions de la sacristie, formions les enfants de chœur, fassions la crèche de Noël, le reposoir de la Fête-Dieu, le ménage de l'église, etc. Le chant liturgique fait partie aussi de notre action apostolique. Heureusement, l'une d'entre nous a le talent qu'il faut et le fait fructifier généreusement. Mais un jour, surviennent des funérailles qui ne peuvent attendre et notre talentueuse ne peut être au rendez-vous. Je m'assortis d'un chapeau haut de forme et, de ma voix fausse et monotone, je chante haut et fort la messe des morts, en solo S.V.P. Imaginons le scénario : c'est ce que j'appelle aller au bout de ses incapacités, au nom de Dieu ! Les élèves et à peine trois ou quatre personnes suivent le cortège funèbre plus que silencieux. Cet inconnu a-t-il simplement été aimé au cours de sa vie ? Toujours est-il qu'il a eu sa messe chantée, sur tous les tons !

Pleins feux dans l'action, le milieu est agité, il y a de la houle. Un jour, je reçois l'appel d'une mère éplorée qui me prie de cadenasser toutes les portes et fenêtres parce que le père incestueux menace de venir kidnapper sa fille. Cette fois, les bords de mon chapeau sont beaucoup trop larges ! Les bourrasques risquent de l'emporter. Je demande précipitamment l'aide du concierge pour jouer le rôle de policier. Surveillance accrue ! Quand d'autres situations dramatiques surgiront, provenant de mon impuissance ou du manque de ressources, je me trouverai un parapluie capable de jouer le rôle d'abri protecteur.

Notre nouveau curé succède à un prêtre adulé. Il se présente aussi intentionné, le cœur sur la main, dévoué jusqu'à la pointe des pieds. Bougon à ses heures… son gros orteil rongé par la gangrène transgresse ses humeurs. Trop gros pour pouvoir se pencher et lui donner les soins qu'il mérite, Monsieur le curé fait appel à mes services – pas très à point, je l'avoue. Je coiffe mon chapeau d'infirmière et voilà, les « remises en état » sont bien dosées, au nom de Dieu toujours !

Peu de liberté pour les loisirs, nous passons nos moments libres à fabriquer nos chapeaux de circonstance, nous y prenons plaisir.

Pour retrouver le courant de mon énergie et les voies de mon cœur, de ma fenêtre de classe je contemple la rivière Saint-Maurice. Elle m'habille du matin, fait rôder l'Espérance et m'apporte la Lumière sur ses vaisseaux d'or.

La fleur de l'âge: vingt-cinq ans aujourd'hui! Deux élèves organisent un grand dîner en mon honneur! Le repas est servi gratuitement aux « dignitaires » du milieu et les élèves ont droit aux gâteries d'usage: chips, sodas, gâteaux, etc. Je suis touchée de cette délicate attention et heureuse de vibrer à leur fête surprise. Mais où donc ont-elles pris l'argent? La question me tenaille jusqu'au jour où l'une d'entre elles, en brouille avec l'autre à propos d'une rivalité amoureuse, crie vengeance et dénonce! Elles ont piqué l'argent dans la petite caisse de l'école, argent provenant de la vente d'articles scolaires. Mon rapport avec les clés a toujours été problématique! Embarrassée, stupéfaite, étant à la fois celle qui a reçu et celle qui doit remettre à l'ordre, je choisis une intervention « gantée », délicate. Éducation oblige! Beaucoup de doigté, mais non moins de fermeté.

Nous sommes en mai. La rivière Saint-Maurice est dans ses plus beaux atours. Elle me fait la confidence qu'une autre destination me sera offerte pour septembre prochain. La « prophétie » a pris forme et je devrai quitter pour un ailleurs.

Ces jeunes en difficulté m'ont parlé de leurs souffrances et de celles de leur famille, de leur solidarité, de leur automne en habits de fête. Ils sont beaux. Je m'en souviens. Ils marquent une étape importante de ma vie, celle de reconnaître ma capacité de mener à terme des projets, de dénouer les impasses liées à l'isolement, de suppléer aux moyens d'aide pédagogique, de rallier dynamisme et divergences d'opinions au sein de l'équipe. Le Lac-à-Beauce aura donc fait vibrer les cordes de ma sensibilité, de mon attachement. J'aurai atteint mes visées pédagogiques et une forte propulsion dans la confiance.

Avec un serrement au cœur, je suis retournée à quelques reprises à Lac-à-Beauce. Bref arrêt en provenance du Lac-Saint-Jean. Je ne rencontre personne, mais je vois et j'entends tant de choses et j'ai les émotions à fleur de peau. Même environnement désertique, école située au milieu de nulle part, qui a fait chavirer le cœur de maman venue me rendre visite, qui a secoué une amie qui n'en croyait pas ses yeux que j'aie pu y vivre quatre années que je qualifie de belles, épanouissantes, enrichissantes ! Bref arrêt aussi à La Bostonnais. Nos plus proches voisines oblates avaient également la responsabilité d'une école. Leur rendre visite était notre sortie officielle, notre lieu de rendez-vous, notre pèlerinage ! Je suis toujours en contact avec cette amie, jadis directrice de l'école à La Bostonnais.

Encore aujourd'hui, pour atténuer les situations problématiques, nous n'avons qu'à nous dire avec humour : « Quand on est passé par Lac-à-Beauce ou La Bostonnais... ! » Et tout est conclu ! Le message est clair : nous sommes endurcies à jamais pour faire face aux obstacles, nous avons connu l'endurance, les joies simples de la vie, la franche amitié.

Le Lac-à-Beauce, La Bostonnais deviennent les lieux de nos grandes célébrations, ceux de nos engagements de vie renouvelés à chaque année, ceux de souligner en grande pompe la fête de l'Amour et de l'Amitié qu'est Noël.

Après la participation au rituel liturgique dans nos églises respectives, sous la neige immaculée ou la route glacée, sous le ciel étoilé et la lune en croissant ou sous une voûte voilée, nous bravions tout pour vivre ensemble ces festivités traditionnelles. Ce soir-là, en empruntant la route qui franchit la campagne dénudée, la rivière Saint-Maurice se fait sourde, elle chuchote la nostalgie des familles réunies, la nôtre ; les sentiers de l'éloignement se font plus percutants et saisissants. Nous restons reliées à cette grande fête universelle par notre amitié, nos choix de vie, par les chants, la musique des airs connus que certaines veulent entendre en sourdine, d'autres de façon plus manifeste.

Musique pour moi, ce soir lointain
Dévoilée au loin, tu transportes mon âme
Chanson des collines rythmées
que la distance réunit en ces faisceaux
Bouquet du paysage horizontal.

HECTOR DE SAINT-DENYS GARNEAU

Au matin, avec nos cœurs d'enfant, nous repartons sur des airs d'une fête vécue dans la simplicité et l'émerveillement. Nous venons de déballer un gros cadeau, celui de l'abondance du cœur. À notre retour, la rivière Saint-Maurice sommeille sous un ciel azuré.

Toujours à l'image de ma vie : mystérieuse avec ses remous, ses vagues, ses sons, ses réponses aux humeurs de la nature, sa présence, son silence, la rivière Saint-Maurice dorlote, calme, ensoleille. Reflets flamboyants, paysages réunis en une seule lumière communiquent un attrait irrésistible ! Peu étonnant que j'aie établi un pont entre l'ombre et la lumière !

J'ai été particulièrement secouée par ce petit cimetière qui s'est ajouté plus récemment à l'arrière de la toute petite église. Je repère des noms bien connus gravés sur de toutes petites pierres tombales, gravés aussi pour toujours dans ma mémoire. Je cherche le nom taillé dans la pierre de celui que nous appelions affectueusement « Pépère Simard ». Il était notre concierge, notre chauffeur, notre journal, notre Père Ovide. Il était notre grand-père, nous étions ses petites-filles. Il me dit un jour, en faisant son balayage : « Vous, Mademoiselle *Élisabelle*, vous ne resterez pas dans la communauté ! » Qu'est-ce qui l'avait conduit à une telle conclusion ? Pourtant, aucune brèche en ce sens n'avait encore fait son apparition. Le pourquoi de ses propos me questionne et, plus tard, bien plus tard, j'aurais aimé l'entendre et lui répondre, mais il reposait déjà en paix !

Expériences fascinantes, rythme effarant

S'engager non pour le pire ou le meilleur
ou pour l'incertitude aveugle
mais pour l'imprévisible et l'étonnement d'être

S'engager pour des découvertes nacrées
Pour l'abandon, la confiance, le plaisir offert et reçu

Jacques Salomé

Les autorités me proposent de quitter Lac-à-Beauce, lieu de prédilection et d'attachement, pour coiffer un autre chapeau, oh ! oh ! un chapeau haut de gamme, qui ne manque ni de charme, ni de style, ni de caractère. Il est ajustable, attrayant, se porte dans les grandes villes, pour les grandes occasions, pour les « découvertes nacrées ».

Je suis abasourdie qu'on me confie cette mission apostolique de grande envergure : assurer la formation, la coordination, la gestion, la supervision d'équipes d'oblates œuvrant dans différentes régions au Québec et en Ontario. Je ne manque pas d'audace et j'accepte. Mon port d'attache est à Ottawa, lieu des ressourcements personnels, de résidence et de contacts diversifiés avec une équipe jeune et dynamique.

La transition se fait en douceur, s'inscrit dans une continuité avec l'enseignement. Je signe un contrat à temps partiel pour donner des cours de conversation française dans une école privée juive, nouveau lieu de culture riche de ses rites religieux et de ses cérémonies grandioses célébrées à la synagogue et auxquelles je suis fièrement honorée de participer.

Les enfants, qui sont rois, détectent aisément ma méconnaissance de leur langue. Mes gestes remédient à la traduction spontanée, déclenchent des fous rires ! C'est un chapeau coloré !

Et je m'apprivoise à ma nouvelle fonction, aux distances également. Mon parcours s'étend d'Ottawa à Mont-Laurier puis de Mont-Laurier à l'Abitibi-Témiscamingue en passant par Rouyn-Noranda, m'amène jusqu'aux confins de la réserve algonquine de Winneway où je suis officiellement et chaleureusement reçue par le grand chef, ce qui m'impressionne fortement. Bref arrêt amical à North Bay, et me voilà de retour à Ottawa. Je reprends le volant pour un autre circuit : Cornwall, Toronto, Port Credit. En route, beau temps, mauvais temps, fredonnant Moustaki, Brel, Bécaud, Adamo, Brassens, George D'Or…

Je fais pâlir mes compagnes lorsque, venant tout juste d'obtenir mon permis de conduire, je les informe que, d'Ottawa, je me rends à La Tulipe, au Témiscamingue, sur une route longue, serpentée, désertique, enneigée. Je leur signale mon arrivée huit heures plus tard, saine et sauve, pour les rassurer et leur rappeler que je suis née sous une bonne étoile !

Cette fois, je joue d'imprudence et un incident de la route dans les Hautes-Laurentides a failli coûter la vie à mes orteils et à mes doigts. De Lac-Saint-Paul à Sainte-Famille-d'Aumont, accompagnée de trois gais lurons, j'emprunte, en plein hiver, un raccourci poudré de glace, aux côtes escarpées, direction nulle part et qui n'est fréquenté que par quelques camionneurs. L'auto s'aventure sur le côté glacé de la chaussée, en haut d'une côte, et les tentatives pour me sortir du pétrin dans lequel je me suis jetée ne font que m'enfoncer plus profondément, ne font que me diriger de biais vers un ravin qui ne peut que nous engloutir. Les efforts restent vains. La route du dimanche est déserte et nous ne nous résignons pas à capituler.

Le froid, la tombée du jour, la noirceur nous effrayent et, hélas ! nous ne portons pas nos chapeaux de feutre. Il ne nous reste qu'à espérer que nos hôtes s'inquiètent et viennent nous porter secours. C'est exactement ce qui se produit après qu'elles eurent téléphoné à tous les services médicaux des alentours ! Avec un soupir de soulagement, nous apercevons de loin des gyrophares : garagiste, notre sauveur, merci !

Rythme effarant !
Expériences fascinantes.
Distances infinies…
Réflexions à l'infini !

Aller de découvertes en découvertes avec mes chapeaux de circonstances embellit mon intérieur, m'affirme, salue au passage mes forces invisibles, me redonne une puissance d'être et me passionne ! La confiance émerge et tisse discrètement le fil conducteur de mes grandes et belles réalisations. Le vent dans les voiles, le cœur ouvert sur le monde, je poursuis mon envolée sous un autre visage, vers un futur à créer, toujours avec une âme de missionnaire et une santé du tonnerre ! À mon insu, une ascension fulgurante se trame dans toutes les sphères de ma vie ; mes activités professionnelles et sociales montent le ton.

Ces femmes profondément engagées, énergisantes, que j'ai côtoyées, que j'ai aimées et que j'aime encore m'ont soutenue, m'ont laissé croire que la vie germe et fleurit dans un sol composé de peines et de joies, et donne à chacun un peu de ces jours gris, un peu de ces beaux jours. Pour l'avoir appris au sein même de mon Institut et des équipes en action, je sais que les motivations profondes s'incrustent, donnent des ailes, nourrissent, demeurent le fondement essentiel de toute mouvance, sont porteuses de dépassement, d'audace. Nous vivons au même diapason ; j'entretiens de forts liens d'amitié et d'ouverture avec chacune d'elles. Mes rencontres portent sur des échanges qui nous relient à la vie de notre Institut : sa façon de nous alimenter et de nous intégrer au quotidien, nous stimuler, nous propulser vers l'avant. Les difficultés, les réussites, les échecs, les questionnements sont partagés sans pudeur. Ensemble, nous prenons le pouls de notre insertion au milieu et de notre mission apostolique. Disponible pour converser plus en profondeur avec l'une ou l'autre d'entre elles, elles m'ont souvent fait cadeau de leur ouverture, de leur authenticité, de leurs petits et gros problèmes, de leurs secrets que je garde respectueusement dans ma boîte aux trésors.

La fonction que j'exerce m'amène de toute évidence à travailler en relations publiques. Je coiffe mon chapeau d'autorité « provinciale » et je travaille étroitement avec ces employeurs qui me font une évaluation du travail professionnel exercé par les Oblates, expriment de nouvelles attentes, font la demande d'ajouts de personnel, etc. Ces employeurs sont semés le long de mon circuit. Ce sont les membres des différentes commissions scolaires, les directeurs de maison de retraite, les autorités diocésaines et paroissiales, et — j'aurais dû le signaler en première ligne —, le chef de l'Église canadienne. Vous remarquez que j'aime savourer certains faits croustillants glanés ici et là. Une visite à Son Excellence le délégué apostolique n'y échappe pas et attise à nouveau mon sens de l'humour.

Jacqueline, membre de l'Institut, est secrétaire dans ce lieu hiérarchique sacré où l'on ne se rend que sur invitation, évidemment ! En bon employeur, Son Excellence convie la « Provinciale » des oblates pour discuter du renouvellement du contrat. Je sors donc mon chapeau des grandes cérémonies, tout neuf, encore enveloppé de feuilles de soie et, sans mesurer la hauteur de ma position ni me soucier de mon âge qui ordinairement va de pair avec l'expérience, je me rends à ce rendez-vous intrigant, fixé pour 11 heures. Je ne connais rien, absolument rien du protocole, sauf que la ponctualité est de bon aloi. À 10 h 30, j'arrive. Je prends le temps de m'énerver et de me calmer ! À 11 heures pile, je sonne, affichant toute l'assurance de mes vingt-sept ans, « provinciale » en plus ! L'ambiance sort de l'ordinaire. Le ton est chaleureux, l'entretien détendu, et l'objet de notre rencontre, vite conclu. Il s'informe aussi de nous, les oblates. Nous l'avions invité quelque temps auparavant à notre résidence pour le dîner, comme disent les Européens.

À mon grand étonnement, Son Excellence m'invite tout naturellement et bien cordialement à partager la table solennelle pour le repas du midi. Dois-je refuser ou accepter pour répondre aux exigences du fameux protocole ? Je pense vite et, sans hésitations apparentes, je lui réponds : « Avec plaisir, Excellence ! »

M'y voilà ! Salle à manger somptueuse, nappe blanche sans plis, repas de fête, ustensiles qui commencent au bout des bras, tout le décorum, quoi ! Mais Claire, il t'a mise à l'aise, tu y es, tu y restes ! Les religieuses assurent discrètement un service impeccable et, c'est bien vrai, je suis l'invitée. Chaque plat m'est d'abord présenté et je me plie volontiers à certaines règles de politesse que je juge justes et à propos dans les circonstances. Je redis à chaque service : « Après vous, Excellence ! » Et ma logique me dicte : une fourchette = un service. « Après vous, Excellence ! » Cette expression m'a hautement servie quand deux religieuses se présentent, déposent sur la table au même moment un plat de raisins et un bol d'eau. L'une porte une serviette blanche au bras gauche. Serait-ce pour laver les raisins ou les mains ? À vous de répondre !

La fin du repas approche. Les convenances me trottent toujours dans la tête. Dois-je partir immédiatement après les remerciements d'usage ou laisser à Son Excellence le loisir de poursuivre la conversation au salon ? Mais, habitué aux règles de la diplomatie, cet homme d'autorité me sort tout droit de mon embarras et me présente à son jardinier pour effectuer une visite guidée dans les jardins fleuris et parfumés de sa remarquable ambassade. Charmante et amusante, cette rencontre, n'est-ce pas ?

Ce mandat de responsable de district des oblates commencé en 1965 aura duré six ans. Six ans pour le mandat. Toute la vie pour ce que j'en ai reçu.

Le temps marque le pas et file à pas de géant. Tant et tant d'accomplissements, de dépassements aux enjeux multiples ! Grands coups de cœur et d'efforts. En pleine possession de moi-même, je crois détenir la clé des petits et grands bonheurs… Je détecte les phares lumineux et je m'incline devant les faux pas. Mes forces sont prêtes à rebondir, à franchir d'autres sentiers battus ou balisés, à parcourir des forêts vierges, à courir au milieu de fleurs sauvages.

Marie Labrecque, bonne amie, fortement engagée dans les causes sociales auprès de femmes en difficulté, me contacte et me parle avec force et éloquence de l'équipe de soutien qu'elle a mise sur pied pour venir en aide aux prostituées. Elle me présente ces femmes qu'elle aime, qu'elle reçoit chez elle, qu'elle aborde là où elles se trouvent : dans les bars, en prison, etc. Elle décrit longuement la forme qu'a pris ce projet dans son livre *Une longue longue marche*, publié par Louise Courteau en 1996.

Elle capte mon intérêt et, parallèlement, suscite un nouvel engagement. Je ferai donc partie, avec ouverture et conviction, de cette équipe composée d'hommes et de femmes sensibilisés à cette réalité qui dure depuis toujours. On veut créer des mots neufs pour redonner la dignité et l'estime d'elles-mêmes à ces femmes capables de filer sur une autre route : celle du respect. En soirée, nous nous rendons donc « chez Marie », partageons ensemble repas, fêtes, liturgies, réunions. Nous regardons ces femmes avec dignité et respect, nous tentons de créer des liens, de les comprendre de l'intérieur. Elles laissent tomber un peu de leur méfiance et donnent place à un discours qui ouvre sur leurs expériences.

Ma question reste entière : « Qui sont ces femmes qui acceptent l'oppression de faire de leur corps un corps de "métier" ? » La réponse se trouve peut-être dans cette citation dont j'ignore l'auteur :

> *Entrer dans l'univers de la prostitution, c'est s'aventurer dans la mystérieuse intimité de ces femmes dont l'existence est comme frappée par la fatalité, c'est risquer de briser les barrières du mépris, c'est apprivoiser une situation humaine qui déborde souvent notre propre expérience mais qui impose un respect trop souvent violé.*

Ces mal-aimées, plongées dans leur nuit, détruites par leurs errances, tenteront toujours de retrouver au fond d'elles-mêmes, tel un point de jonction, les joies pures et simples de la relation et voudront toujours reconquérir leur beauté intérieure.

Elles ont brièvement croisé ma route, le temps de m'aider à revisiter le contenu de mon baluchon qui s'est évaporé le long de mon parcours, d'assembler nos similitudes, de vouloir leur transmettre cette vérité absolue à laquelle je me suis agrippée : seul l'Amour vécu plus loin que les passerelles est chemin de lumière.

Sur une grande lancée

Il ne suffit pas que le soleil se lève
Encore faut-il transporter l'aube
en un jour nouveau

JACQUES SALOMÉ

Les années 1970 sont riches en rebondissements, marquent des tournants, croisent de grands bouleversements intérieurs. J'additionne les expériences, les vents m'emportent, me propulsent. Je suis au cœur du plein de la vie. Les réalités existentielles et les coïncidences sont troublantes. Les variations se présentent à moi, je m'y inscris, je m'y moule comme dans une vieille pantoufle.

En accord et en lien d'appartenance à mon Institut, je ferai le choix de vivre seule. Cette solitude me crée un espace vital, fait circuler le calme après le « trafic » et les « courbatures » des grands jours, renforce le lien intime avec moi-même, loge des moments salutaires d'intériorité, de méditation.

Je m'étais abandonnée corps et âme au cours de ces derniers six ans à un enchaînement inlassable de faits qui ont marqué mon histoire de femme engagée, vouée à l'éducation, à l'animation, à l'administration avec une puissance d'agir et un plaisir grandissant de pouvoir donner et recevoir. Voilà que je reviens à un carrefour, à une intersection de feux rouges. Suspendue à cette parcelle d'éternité, le voile devant les yeux, la noirceur tend ses perches, me surprend, me laisse dans l'obscurité la plus opaque, dans l'impasse la plus totale. Que vais-je faire maintenant ? Comme bien d'autres, j'irai à la recherche d'un emploi. Un regard en arrière me laisse entrevoir une traînée lumineuse indicative. J'explore, j'écoute.

Le changement de travail, de milieu de vie s'insinue sans bruit d'abord, avec fracas ensuite.

Le monde connu de l'éducation, de l'enseignement, est saturé, fait écran à mes intérêts immédiats. Je veux céder le pas et la cadence à la nouveauté, la créativité, sauvegarder l'axe de mon existence et faire jaillir d'autres sources de réalisations personnelles.

Je refuse une mission d'intervention auprès de jeunes femmes monoparentales à l'île Maurice. Mission adaptée à ma formation antérieure, il va sans dire, mais que je ne repère pas sous l'angle d'un pays si lointain.

C'est le grand vide qui aurait pu me plonger dans une inquiétude palpable. « C'est dans le silence que l'Être humain saisit bien les contours de sa vie[9]. » En silence, donc, je fais le point, j'établis des balises, je construis des ponts. Je me fais cadeau d'une année d'études en counseling familial. Année thérapeutique, de grand remue-ménage !

Monte alors doucement, comme une vague de fond, cette flamme ardente, toujours présente, vivante, témoin de mes ambitions et de ma ténacité. Je reste à l'écoute, saisis la pudeur d'une intuition, je calque le vrai, je débroussaille le faux et j'ai la ferme conviction que je traverserai en toute tranquillité cet univers offert à ma Puissance d'être.

La vie me rend la confiance que je lui fais et les pendules se remettent à l'heure. Serait-ce le jeu du hasard, de la chance ou une pure gratuité de la vie mais, de passage à Montréal, un simple appel d'information m'ouvre grandes les portes et me conduit presque aveuglément et sans détours vers le centre Rosalie-Jetté, centre qui abrite de jeunes mères célibataires et qui est dirigé par les Sœurs de la Miséricorde. On me dit que le hasard n'existe pas, qu'il n'existe que des rendez-vous. Je parlerai donc de gratuité de la vie.

Je ne sais plus qui m'a déjà parlé de ce centre et je n'en connais pas encore les objectifs, mais il exerce sur moi un attrait irrésistible. Spontanément, sans trop de convictions, je demande une formule de candidature et, contre toute attente, on m'informe qu'un poste est vacant. Mon appel est audacieux et nourrit l'intuition d'être au bon endroit au bon moment.

Nous sommes en juin. La réponse se fait attendre, mais je vis une convalescence imprévisible et je ne peux donc pas faire de relance dans l'immédiat.

En septembre, je retourne à Ottawa, chez moi, dans cette maison sobre et familière pour le plaisir d'être, ressentir les vibrations de ce milieu de vie qui m'a généreusement offert les possibilités de m'épanouir et d'aimer. C'est le moment de tourner la page, de dire un au revoir. Dénicher un nouvel emploi devient de plus en plus une préoccupation. J'ai donc à cœur d'établir de nouveaux contacts et l'intention de faire connaître mes expériences de travail.

Coïncidence extraordinaire! Le jour même de mon arrivée, je reçois une convocation d'entrevue fixée au lendemain pour ce poste resté vacant depuis juin. Retour immédiat à Montréal. Ce travail paraît être sur le chemin de mon évolution, correspond à mes expériences, et la formation que j'ai acquise l'année précédente devient un atout. C'est un chapeau presque sur mesure ! Je suis comblée, transportée de joie. On m'invite à me mettre à l'ouvrage sur-le-champ. Il me reste à négocier deux autres mois de convalescence prescrits. Concessions faites de part et d'autres, j'entrerai en fonction en octobre. Projet emballant, enthousiasmant !

Soutenue par les compétences d'un personnel éducateur avisé dont j'assure la supervision, j'assume la bonne marche d'un des pavillons de ce centre qui abrite les futures mamans de dix-huit ans et plus. Ces jeunes filles vivent leur grossesse hors de leur famille, ressentent l'immense besoin d'être acceptées, reconnues inconditionnellement. Elles ont fait le choix, souvent après de multiples questionnements et de multiples pressions, de rendre leur grossesse à terme.

C'est dans un contexte humain, respectueux que nous leur offrons un gîte jour et nuit, que nous ouvrons le dialogue, que nous personnalisons les programmes d'aide. Elles sont dans l'attente, elles vivent dans l'appréhension, recherchent la quiétude. Nous les accompagnons jusqu'à leur accouchement, après quoi elles poursuivent leur cheminement avec l'aide de travailleurs sociaux en vue d'une saine insertion sociale.

Un an plus tard, le besoin se fait sentir de mettre sur pied un projet « mère-enfant » et je suis invitée à le piloter. À sa sortie de l'hôpital, la jeune maman revient au centre pour y vivre avec son poupon, apprivoiser son nouveau rôle, bercer son enfant de tendresse et de câlins, refaire ses forces physiques et morales, préparer sa réinsertion dans la société qui, à l'époque, se veut très peu permissive à cet égard.

Le centre regorge d'activités, fourmille et regroupe, selon les âges allant de douze à dix-huit ans et plus, quatre pavillons d'adolescentes enceintes, guidées par des éducatrices chevronnées, assurant une présence jour et nuit. La directrice générale s'absente pour une année sabbatique et me propose l'intérim que j'accepte d'emblée. Je veux ainsi connaître l'étendue de mes horizons, pousser l'audace de mes possibles, tester mes habiletés administratives.

Mon engagement se veut total et à la hauteur de la confiance que l'on m'accorde. Je donne le meilleur, j'y mets foi, intérêts et convictions. Je reçois un appui sans équivoque du conseil d'administration, du personnel, des jeunes mères dont je me sens très proche et dont je deviens souvent la confidente. J'aime croire que, mission accomplie, le centre Rosalie-Jetté est le sommet de ma carrière.

Après l'intérim, le retour au pavillon des mères célibataires de dix-huit ans et plus ne se fait pas sans heurts. Avec déception et désillusion, je ne retrouve pas dans les faits et dans les gestes la continuité, la confiance, la communication qui m'avaient été si sincèrement et généreusement offertes. Je n'ose pas trop prétendre que s'exerce alors un jeu de pouvoir ou de rivalité avec les autorités du Centre, mais je vis un mal d'être profond. Les choses sont ce qu'elles sont et, consciente qu'un milieu de travail reste mien tant et aussi longtemps qu'il demeure vital, après quatre ans de labeur intensif et d'élan, je suis amenée en toute honnêteté et en toute liberté à regarder vers ailleurs. J'abandonne donc une équipe d'éducatrices en qui je crois fortement, un mouvement de vie qui se veut constamment en éveil, je laisse une partie de moi-même. Avec l'émotion qui m'étreint, je ferme momentanément le livre de cette émouvante histoire.

Un parcours étonne, retient ses mystères. Présage d'avenir… J'avais assisté, à titre de directrice générale intérimaire, à l'ouverture officielle de l'école qui porte le même nom que le Centre, école qui deviendra le pays intérieur de mes grands coups de cœur jusqu'à la fin de ma carrière et que je revisite quand j'ai « l'âme à la tendresse ».

Gratuité de la vie, dirais-je encore, mais mes choix se présentent toujours comme par magie, comme un fruit mûr prêt à être cueilli. La vie vient à moi, je n'ai qu'à l'accueillir ! C'est le cas de mon retour à l'enseignement au beau milieu d'une année scolaire. Décision tout à fait inusitée. Pour mon plaisir, en hommage aussi, je raconte.

Madame Frare est sur ma route. Bonne amie, elle me soutient à titre de présidente du conseil d'administration du centre Rosalie-Jetté alors que j'en suis la directrice générale. Elle connaît les ajustements ardus que j'ai dû faire pour assurer le retour à mon ancien bercail. Un jour, je reçois son appel téléphonique à mon bureau. Surprise de l'entendre, je lui dis bien innocemment : « Ne me dis pas, Pierrette, que tu viens m'offrir une job ! » Elle me répond : « Oui, justement, c'est pour ça que je t'appelle. » Je ne savais pas, Pierrette non plus, que c'est la réponse ambitieuse et intuitive qui va me permettre d'accéder à ma retraite avec la fierté et la jeunesse de mes cinquante-six ans. Je lui redis mon éternelle reconnaissance. Deux semaines suivent cet appel – le temps de remettre mon cœur à l'endroit – et le transfert s'effectue. Je suis projetée vers l'école Dominique-Savio. Je n'en demande pas tant !

Retour sévère avec cette clientèle mésadaptée socio-affective, avec ces adolescents aux prises avec leurs chaînes du passé et assoiffés de mieux-être. La tentative de les intégrer à une école régulière échoue. La Commission scolaire de Montréal répond aux besoins, regroupe ces jeunes, trouve les locaux, engage de nouveaux professeurs, et je suis de ceux-là. J'écoute, j'essaie d'enseigner, de comprendre, d'aimer. Mais six mois, c'est bien peu, c'est juste le temps qu'il faut pour espérer qu'un jour nouveau se lève pour eux.

En juin de cette même année scolaire, un poste d'enseignante à l'école Rosalie-Jetté s'offre à moi comme sur un plateau d'argent. Pour reprendre l'expression de Jules Verne : « Au pays des fables, une place m'attendait. » Parallèlement, je fais la ronde des tâches annexes : responsable à la vie étudiante, tutorat, responsable de la liaison école-garderie, suppléante en l'absence de la direction, participation à différents comités, etc.

Les directeurs et directrices se succèdent, les équipes d'enseignants et d'enseignantes se font et se refont. Ils sont les témoins de mon action dans ce milieu privilégié. Ils me connaissent avec mes hauts et mes bas, avec mes combats, sous toutes mes couleurs… sous presque toutes mes facettes. Ils m'ont vu agir, interagir, intervenir, m'interposer avec rigueur, avec vigueur, avec audace même, mais certainement avec cœur et avec la foi profonde en une actionsoutenue et concertée.

Avec mes « étudiantes », comme j'aime les appeler, j'ai voulu, au cours de ces années qui précèdent ma retraite, faire appel à leurs forces vitales, par mon enseignement, par mon approche, par ma façon d'être et d'agir. J'ai voulu les accueillir avec leurs différences, avec leurs ressemblances aussi. J'ai voulu tout simplement leur être présente. Je les ai aimées !

Je ne suis pas en mesure de saisir l'ampleur et la portée de mes actions. J'aurais aimé leur dire plus clairement au fil du quotidien ce qu'elles ont été pour moi, ce qu'elles m'ont légué en héritage.

Je leur rends un vibrant hommage. Elles portent en elles des éléments de feu, de joie, de lendemains meilleurs. Elles m'ont émerveillée, m'ont aussi tenue en éveil, m'ont préoccupée, m'ont fait sursauter, ont confronté mes valeurs, m'ont raconté leurs histoires, m'ont fait grandir. Elles m'ont dit, à leur façon, que toute expérience, si difficile soit-elle, appelle à un plus… et j'ai saisi leur message.

Un poème écrit par l'une d'elles dans un recueil de témoignages, à la suite d'une fête émouvante et bien orchestrée pour souligner le 25e anniversaire de l'école Rosalie-Jetté, précise l'expérience de ces jeunes mères.

Toi

Au début, tu étais si petit
que je ne pouvais imaginer que tu étais là.
Le temps a passé et déjà tu t'étais installé…
Sans permission, sans consultation,
tu as pris possession de mon corps.

Toute ma vie a été bouleversée
mais j'ai finalement décidé de te garder.
J'ignorais si c'était la bonne décision,
mais au fond de mon cœur rien
ne pouvait m'en dissuader.
Tu étais si petit
mais je savais que tu étais là...
Et puis le jour est venu où
j'ai entendu ton cœur battre et t'ai senti bouger...
WOW!!!
Quelle sensation ! À partir de cet instant
j'ai su que ma décision était la meilleure.
Finalement, le jour que j'attendais le plus :
l'échographie...
Et oui, je t'ai vue
et j'ai su que tu étais une jolie petite fille !
Immédiatement, je t'ai baptisée Katheryne.
Aujourd'hui papa est parti, je me retrouve seule avec
une grosse bedaine qui n'arrête pas de bouger !
Mais je ne regrette rien et jamais
je ne regretterai de t'avoir gardée.
Il reste seulement deux mois avant
que tu sois à mes côtés et
j'avais envie que tu saches tout ceci car tu es toute ma
RICHESSE... !

ANNIE

J'ai juste besoin de baisser les yeux pour comprendre. Comme Annie, elles sont belles, touchantes, attachantes, femmes maintenant.

Événements fracassants... à contre-courant

Le souvenir ne se moule jamais
à des mélancolies précises.
Il ne suscite dans mon âme
qu'une suite d'images et d'émotions
dont l'ivresse se prolonge...
depuis l'appel soudain des partances.

GUY MAHEUX

Chaque événement crucial de ma vie porte ses incontournables, ses nœuds, ses douleurs, ses inévitables. Des émotions ont été garées. Je les reprends une à une pour me laisser envahir de douceur et entrer dans ce puits de lumière.

Nouvelle fracassante... maman est frappée d'un cancer fulgurant. À peine quelques mois de vie ! C'est la consternation dans la famille.

Absence brutale, profonde, appréhendée.
Effroyable cassure.
Fragilité de la vie, du temps.
Rupture éternelle.

Où et quand la mort viendra-t-elle pour toi, maman ? De quoi sera-t-elle porteuse ? Comment se refermeront les cicatrices ?

L'ombre est ravageuse, maman est à la porte de sa vie. Comment peut-on se sentir prête à vivre ce drame, cette tragédie ?

La nouvelle bouleversante fait boule de neige, rassemble la famille, trouble, secoue. Nous nous consolons tant bien que mal. Et comment rendre plausible ce diagnostic médical aux oreilles de papa ? Nous le savons fort, courageux, lui qui a tout partagé dans sa chair et dans son âme, le meilleur et le pire, mais comment allait-il faire face à cette criante réalité et continuer de vivre en toute quiétude ? Nous attendons au lendemain pour l'en informer, privilégiant un temps de calme et de confidence. Ce soir-là, il se rend à un concert de Nana Mouskouri. Il fredonne fréquemment ses chansons et semble s'identifier à tant de ses réflexions.

Quelle importance, le temps qu'il nous reste,
Nous aurons la chance de vieillir ensemble.
Mais l'un de nous s'en ira le premier
Il fermera ses yeux à jamais.

Il répond à cette chanson par une acclamation debout. Les paupières de ma sœur s'embuent, elle avait en main le billet de maman et, dans le cœur, le secret encore gardé pour papa, qui doit être dévoilé le lendemain, et qui l'aurait certainement fait fondre en larmes.

Retour auprès de sa famille après un bref séjour à l'hôpital, maman livre son dernier combat, elle le sait.

Le temps lui a-t-il laissé le temps de faire taire le choc, de donner un sens à ce non-sens, de parler « sérieusement » à son Dieu, de faire le deuil de ceux et celles qu'elle aime ? La réponse ne se rend pas à nous, l'attaque est trop virulente, le cœur trop chaviré, trop enlacé par l'émotion.

Papa retient son souffle, le rideau est opaque.

> *Frappée en pleine vitalité, l'instant présent nous échappe, un souffle de vie prêt à s'éteindre dans le choc de ce qui arrive, vacarme de déchirure dans la tête, moment fulgurant.*
>
> ANNY DUPEREY

Les larmes abondent, les mains se joignent, les regards se fuient, la douleur est palpable, l'espace est envahissant.

Profitant d'un moment d'accalmie, papa tente de lui formuler un projet à court terme qu'ils croient encore possible de réaliser ensemble. Elle répond, des sanglots plein la voix : « À ce moment-là, tu prendras bien soin des enfants. » Lueurs de lucidité ! Flammes intérieures ! Astre vigilant !

Au cœur de notre gratitude, de la présence silencieuse, du geste à poser, de la réponse à son désir de vivre ses derniers moments à nos côtés, nous nous mobilisons le jour, la nuit, dans la tendresse, dans les sanglots. Nous nous rendrons avec elle de l'autre côté de la rive et nous célébrerons sa vie !

De jour en jour, nous pressentons la séparation, le deuil, le terme à ses souffrances si aiguës. « Que votre volonté soit faite », c'est la dernière parole que je lui ai entendu prononcer un soir de grande douleur. Elle est allée au bout de sa foi, de sa grandeur d'âme, de son dépouillement intérieur. Oblation totale, elle entre par la grande porte du Royaume éternel après avoir dit un « *amen* à son existence, à cet évangile vécu », comme en témoigne l'homélie prononcée à ses funérailles, la veille de ses soixante-dix ans.

Je ne suis pas à son chevet quand elle nous quitte, mais une rose que je lui ai offerte deux jours auparavant veille. Geste simple et tendre, posé en présence de papa, ému, aimant, bienveillant, scelle pour l'éternité mon attachement filial.

Victor Hugo disait : « Nous ne voyons jamais qu'un seul côté des choses ; l'autre est plongé en la nuit d'un mystère effrayant. » Le décès de maman relève de ce mystère déchirant ! Nous suivons un impressionnant et silencieux cortège comme si nous portions la certitude d'une vie riche qui prend fin trop abruptement. Vie courte, active, vie consacrée !

Elle nous lègue en héritage son amour, le don total de sa vie, la capacité d'aimer à notre tour, de faire nos choix personnels, d'aller courageusement de l'avant envers et contre tout. Maman est toujours là, tout près, nous sommes ses êtres chers marqués au sceau de sa sollicitude et de son affection.

Anny Duperey se questionne, cite un auteur inconnu : « Il n'est nulle douleur que le temps n'efface. » Elle aimerait lui demander – et la question est universelle – : combien de temps faut-il ? Paul Meunier semble lui répondre :

> *Le temps qu'il faut pour que l'on soigne silencieusement les blessures ;*

le temps qu'il faut pour en arriver à voir tout ce qu'on a vécu de beau, de vrai, de grand;
le temps qu'il faut pour se réjouir de tant de provisions de douceur
et aussi de tant de bagage de maturité ou de croissance personnelle qui,
au-delà de la rupture et de la couleur, demeure.
Le temps qu'il faut pour que les eaux douloureuses qui nous submergent décantent[10].

Le temps du reste de sa vie peut-être!

Louis, mon bel ange

J'ai six ans, mon petit frère en a cinq. Petit homme, beau comme un ange. Il construisait des châteaux, foulait les tapis de pissenlits, cueillait des framboises, humait l'odeur parfumée du trèfle, regardait butiner les abeilles, sautait les clôtures, s'endormait dans les champs de maïs. Tendre, intelligent, candide, il mordait à sa jeune vie, déjà il exprimait ses projets d'avenir mais demain ne lui appartenait pas.

Ce jour-là, contrairement à son habitude, il se lève tard, essuie des taquineries, semble voir monter le jour avec une tranquillité que rien ne peut brouiller. Sous un soleil de plomb, les deux mains dans la bavette de sa salopette, cheveux au vent, il part à la rencontre de papa « aux champs », au bout de la terre. Il part aussi à la rencontre de son destin, de son mystère.

Il se dirige à l'orée du bois, là où le soleil se couche après avoir mis le firmament en flamme et en attendant que la voûte s'étoile. Étoiles filantes… étoiles lumineuses. D'un pas saccadé, il marche, court, gambade, cueille des brindilles au passage, respire l'air du temps, s'amuse de tout et de rien. Les hirondelles ne volent et ne chantent que pour lui ce jour-là. Papa le voit venir de loin, ravi, admiratif; attendri sans doute par le chemin qu'il doit parcourir sur ses toutes petites jambes pour se rendre à lui.

Prêt à reprendre la route du retour avec une voiture chargée de foin, papa lève l'interdiction qu'il nous fait à tous de ne pas grimper sur ces chariots tirés par des chevaux qui demandent trop de vigilance en présence des enfants. Cette fois, pour éviter de lui faire faire demi-tour et ménager ses petites jambes, il acquiesce à sa demande qui est de prendre place à l'arrière de la voiture. Il attend l'accord de Louis pour donner le signal au cheval d'avancer. En une fraction de seconde, l'accident fatal, grave, terrifiant se produit. Effondrement total!

Louis se relève, répond aux questions angoissées de papa, montre son petit corps meurtri par une blessure intérieure. Il rechute, inconscient. En réponse aux signaux de détresse, les voisins accourent pour porter secours. Inerte, immobile, il est déposé sur la galerie qui entoure la maison, dans un vaste coin d'ombre; le temps donné à papa de raconter l'événement à mots couverts, tenter une explication d'une autre nature d'abord, pouvant éviter que la plaie béante ne s'ouvre trop vite pour maman, pour nous, ses frères et sœurs. Mais la vérité éclate rapidement, crée un effet d'onde de choc, prend le chemin d'un puits de douleur atroce, là où se posent l'insoutenable, l'insupportable.

Nous restons attroupés, chacun recherche ses défenses naturelles, se retranche dans sa bulle de solitude menaçante, dans la zone redoutable du deuil, de la peur et de la perte. Angoisses. Pleurs.

L'atmosphère est glaciale, les murs frissonnent, la terre tremble. Il était à nous, le sixième maillon de la chaîne familiale encore et toujours cadenassée. Pourquoi fallait-il qu'il nous quitte si rapidement, si brutalement ? Nous attendons un signe de vie, d'espoir : « cette petite chose ailée perdue au fond de son âme[11] ». Un regard circulaire nous rejoint, regard d'adieu ou d'espoir ? Ses yeux se referment à jamais. Figure sereine, des pétales de roses se posent sur ses cils.

Jeune, beaucoup trop jeune, à l'aube de sa vie, il franchit l'autre sphère de la vie sur un vol de nuit, phares lumineux, ascension rapide au pays des anges, au jardin de son ciel. Parti sans avertissement comme une offrande devant l'Éternel, comme un messager d'amour entre ciel et terre, portant nos supplications, nos prières.

Papa, témoin impuissant, s'était précipité au secours des soins médicaux et religieux. Il revient trop tard : Louis est déjà recouvert d'un linceul. L'annonce du décès a l'effet d'une bombe, d'une catastrophe abominable. Il est ravagé, détruit, anéanti, effondré, dévasté. Maman, déchirée tout autant, reste debout, encore capable d'aller à la rencontre de la souffrance, du malheur qui cogne !

Bras dessus, bras dessous, ils se veulent seuls pour un moment, se rendent à l'auto pour tenter de se soutenir mutuellement dans cette épreuve immense, multidimensionnelle, cruelle qui vieillit avec eux, met en miettes forces et protections, brise les certitudes, étale un écran noir sur blanc, creuse un immense trou de culpabilité irraisonnée.

Premier face à face avec la fatalité, avec la mort. De mon refuge, je vois tout, je ressens tout, impuissante, isolée, traquée. Je suis comme une éponge qui absorbe cette douleur environnante, éclaboussante, qui va droit au cœur, hurle, ébranle, brutalise la magie de l'enfance. Personne pour étendre le baume qui adoucit, pour dire les mots que je veux entendre, pour expliquer le drame, pour me consoler, me bercer. Pourtant, j'aurais aimé qu'on accueille mes sanglots et m'enveloppe de tendresse.

Je terre mes émotions, j'éviterai longtemps les situations et les lieux menaçants, paralysants, effrayants, restés collés à cette réalité troublante et muette de mes six ans. Il me faudra à ma manière, « à la petite cuillère », sortir les eaux troubles de ce puits si profond et laisser jaillir la source d'eau qui régénère.

Le cœur gros, nous, la marmaille, les têtes en escalier – nous avions tous un an de différence d'âge –, avons du mal à nous accrocher aux notions mal définies sur la mort, à nous faire l'image d'une présence invisible et de la vie d'un au-delà. Nous savons cependant que notre petit frère ne s'aventurera plus sur la même piste que nous, qu'il ne prendra plus place à l'une ou l'autre de nos deux tablées aux heures de repas, que nous ne l'entendrons plus rire, qu'il ne fréquentera pas la « petite école », qu'il n'ira plus aux champs. Gros, gros chagrin !

Le salon familial est transformé en une chapelle ardente, en un sanctuaire. Parents et amis affluent, parlent à voix basse, retracent le fil de la tragédie, se laissent interpeller dans leur foi, dans la fragilité du moment.

Pureté d'un lys à peine ouvert,
Beauté d'une innocence éclose.
Nous te cherchons, ne te trouvons pas…

La croix nous guide et nous conduit au pied de l'autel. L'encens monte comme une louange pour retomber et embaumer d'autres printemps. Des voix d'anges, pénétrantes, harmonieuses, descendues du ciel se font entendre. Elles chantent pour nous, la famille éplorée, pour Louis dans son petit cercueil blanc, en habit de fête nuptiale. Le glas sonne à la volée, des échos intensifient les nœuds du passage, parlent de deuil. Ils se tairont quand la paix sera retrouvée, quand la force et le courage auront repris leurs droits sur chacun de nous.

Louis, je garde de toi l'image de la taille de tes cinq ans.

Au jardin de ton enfance
Poussaient des roses sauvages
Éparpillées dans leur exubérance
Précieuses, fragiles et si belles.

Réal Burelle

Au pays de ton enfance s'est immobilisé un instant d'éternité.

Petit frère, mon bel ange !

Décision irrévocable

Avoir la douceur des nuages
Ou la violence de l'orage
Mais enfin trouver un langage.

Entre deux battements de cœur
Entre le courage et la peur
Éterniser ce qui s'y meurt.

JACQUELINE LEMAY

Ai-je besoin d'un cadre bien défini pour vivre ma vie imbibée d'une foi agissante, d'une spiritualité vivante, d'une fidélité indéniable ? La question est cruciale et je me la pose avec acuité et gravité.

Nuits de turbulence, obsessions d'une décision à prendre, méditations, rencontres pouvant m'apporter la lumière : la réponse tarde à se faire entendre et me laisse dans une impasse « entre le courage et la peur ».

Je fais face à un divorce possible, à une divergence profonde, à une rupture que je veux régler à l'amiable. Je réexamine les signaux, les motivations, laisse vivre les émotions contradictoires, douloureuses parfois, emballantes d'autres fois.

L'ampleur de cette nouvelle orientation est d'envergure, mon mode de vie s'en trouvera modifié. Je ne veux faire aucune concession à l'harmonie qui m'habite, aux valeurs inculquées par mon Institut. Mais je me sens happée de l'intérieur et invitée à prendre un nouvel envol qui, certes, s'annonce plein de rebondissements. Je laisse pétrir ce proverbe sanscrit :

> *Ne pense qu'au jour présent,*
> *Car c'est la vie,*
> *L'essence même de la vie.*
> [...]
> *Car hier n'est plus qu'un rêve*
> *Et demain n'est qu'une vision.*
> *Mais vivre chaque jour pleinement,*
> *Fait de tout le passé un rêve de bonheur*
> *Et de tout l'avenir une vision d'espoir*[12].

Frappée en pleine lumière ! Je poursuivrai ma route sans lien d'appartenance avec mon Institut, je continuerai de crier ma joie d'être et je « cueillerai le jour ». *Carpe diem*, comme le dit Horace dans une citation qui rappelle que la vie est belle et le temps, un cadeau précieux[13].

Immense reconnaissance à cette terre d'accueil où j'ai reçu, donné, grandi, aimé. Je continuerai de croître spirituellement, d'aller au bout de moi-même, de relever des défis. Hommage à ces femmes engagées, audacieuses avec qui j'ai tissé des liens intenses d'amitié, avec qui j'ai vécu des moments vrais et qui ont dû porter avec moi les pertes de ma rupture. Les liens sont maintenus et balisent ma nouvelle orientation. Tant de fois, j'ai entendu chanter le *Magnificat : Le Seigneur fit pour moi des merveilles.* Je suis partie sur ces mêmes accents, sans regard en arrière.

J'ai tenté de préparer et de rassurer mes parents sur ma « nouvelle vie » qui se faisait de plus en plus proche. En réponse, je détiens comme un trésor cette lettre de maman, écrite deux ans avant son décès, qui m'exprime sa surprise et affectueusement me dit : « Pour nous, tu seras toujours la même Claire ! » Bien sûr, maman, je suis et resterai la même Claire, entêtée à donner un sens aux événements qui me tiennent en perpétuelle mutation, fidèle à ma famille, à mes amis, aux cadeaux de la vie qui me servent et serviront de levier, de tremplin. Je vous promets de traverser l'univers en suivant le courant de la Grande Rivière de Yamachiche. Grande rivière pour le nom donné au rang que j'ai habité, Yamachiche, pour le nom de la paroisse, lieu de mes ancêtres, lieu de mon enfance. Je suivrai le courant de cette longue et belle rivière avec ses ondulations, sa discrétion, sa persévérance, son discours, son énigme, ses reliefs jusqu'au bout de mes yeux ! Je suivrai certainement d'autres courants, mais je partirai toujours en jetant un regard vers la source première. Là où j'ai appris à marcher, à courir, à trébucher pour comprendre et m'approprier la Liberté, les premières notions de courage, de foi.

Papa, maman, merci pour ma vie !

Mon premier grand amour

Je ne sais rien du voyage
Où nous transportera demain
J'aimerais qu'il fût une plage
Où tu me prendrais par la main
J'aimerais qu'il fût ton visage
Et la douceur de vivre autour
Mais je ne sais rien du voyage
Rien du chemin, ni du retour.

Je sais seulement que je t'aime
Et que le temps n'est qu'un retour.

SYLVAIN LELIÈVRE

En quittant l'Institut sans transitions apparentes, je ferme des portes, j'ouvre des fenêtres. Je m'éveille à une vision nouvelle du monde, à des rêves, à des évasions-voyage, à l'amour. Avec une personnalité mieux affirmée, une énergie invincible, je mords à ce parcours de vie, enivrant à ses heures, déchirant en d'autres temps.

Un voyage « tour de France » s'organise. Une amie m'invite à l'accompagner. Il est 18 heures, le forfait est en vigueur jusqu'à minuit. Un rendez-vous s'annule, je prends donc la soirée pour étudier ce projet alléchant et intuitif. À la toute dernière minute, mon formulaire de participation est déposé en dessous de la porte et, en juillet 1977, je serai du voyage. Fabuleux itinéraire qui embrasse à la fois l'Histoire, l'Art et la Science[14]. Découvertes et beautés plein la vue !

À mon insu, je glisse dans une histoire d'amour la plus belle, la plus passionnante qui soit. Un conte de fée digne de grands romans ! Mon premier grand amour !

Rencontre envoûtante, fascinante, inattendue. Nous sommes en même temps, au bon moment, dans le même autobus, dans le même circuit Paris-Paris. La séduction s'effectue d'elle-même comme tant d'autres ! Regards soutenus, attentions répétées, café à cœur ouvert et tendresse infinie ! Recherche de moments d'intimité : repas en tête à tête, promenade sous le soleil ou la pluie, rencontres intimes toujours à saveur de miel et de rosée.

Mais qu'est-ce donc qui nous arrive ? Deux embûches de taille : l'une, il est Australien, vit donc à l'inverse de la planète ; l'autre, il ne parle que l'anglais, je ne parle que le français ! Notre propre langage s'est vite introduit entre nous en images, en signes : le langage d'un amour naissant, celui du cœur, du non-verbal. Nous ne comprenons pas le langage des mots, nous en comprenons le sens. Nous arrivons à des solutions pratiques en achetant d'abord deux dictionnaires : l'un pour la traduction française, l'autre pour la traduction anglaise. Quant aux distances, nous trouverons bien moyen de les franchir.

Ces deux pôles substantiels donneront souvent droit à des situations cocasses où notre sens de l'humour est pris à partie, notre simplicité aussi. Nous sommes devenus sensibles au vocabulaire connu de l'autre et, dans des rencontres pointues, nous n'avons qu'à jeter un coup d'œil pour obtenir une traduction rapide et efficace. La complicité nous « devine » et le tour est joué !

Relation qui proclame notre différence, notre marginalité.

De Paris, nous poursuivons notre périple en Angleterre, pays royal, jaloux de ses traditions, invitant par ses architectures du passé et son ouverture à la modernisation, embelli par des jardins sophistiqués et séduisant pour le temps d'une valse sur la Tamise.

Londres, ville sombre, pluvieuse. Nous avons repéré de longs et fascinants parapluies noirs pour le plaisir de se rendre dans les parcs, les musées, les châteaux, pour poursuivre nos promenades matinales et nos discussions lourdes de conséquences. Ces parapluies ont éclipsé nos appréhensions, mis un toit sur notre tendresse, abrité tout l'amour du monde et ont livré un appel à une expérience unique qui nous fera nous dépasser.

Un mois, c'est bien bref pour que prenne forme cette passion naissante, pour refaire nos choix relationnels, revoir l'itinéraire de nos vies, se situer l'un envers l'autre, reconnaître les « îles » qui sont en nous, vivre à vive allure l'intensité du présent, déceler nos conceptions de l'amour et s'interroger sur le comment vivre cette relation à distance.

La relation demeure toujours enivrante et, entente conclue, Frank refait les plans de son parcours autour du monde pour prendre la voie du cœur, de nos amours, la voie du Québec où il tiendra un point d'attache lui permettant de continuer son périple vers les États-Unis, l'Amérique du Sud, etc.

Homme de cœur, intègre, sociable, généreux, amoureux de la vie et de tout ce qui est en mouvement, profondément soucieux du chemin sur lequel nous nous sommes engagés, nous suivons le rythme de notre cœur. C'est un inconditionnel... il est amoureux ! J'aime son regard perçant, son humour raffiné, la chaleur de sa voix, sa remarquable sociabilité, son mordant pour la vie, sa vision du monde, son chemin parcouru.

Cette relation unique, idyllique, me propulse, me fait découvrir les dimensions épanouissantes de l'amour, de l'affectivité donnée et reçue, illumine mes jours et mes nuits, colore et réinvente ma vie. Je sens éclater ce qu'il y a de meilleur à l'intérieur de moi, je suis amoureuse ! Percerons-nous un jour le secret de cette énigme, de cette attirance si puissante qui s'est glissée entre nous ?

La réalité fait douloureusement son apparition. Nous nous devons d'être présents à nos champs d'activités respectifs et novembre annonce donc la fin du voyage de Frank, le retour dans son pays du bont du monde. Absence, solitude, brèche à cette aventure enivrante. La porte reste cependant ouverte et nous revivrons en juin les palpitations, les retrouvailles avec la même euphorie, la même intensité. L'attente s'annonce interminable, nous gardons le contact vivant, intact.

Nous vivons l'intensité d'une relation amoureuse qui voyage entre les hauteurs et les profondeurs. Les rapprochements se font au rythme de nos disponibilités, de la correspondance intercontinentale, des appels téléphoniques puisque nous ne sommes pas encore à l'heure des courriels.

Les mots d'amour voyagent au-dessus des nuages, s'incrustent, dansent. Chaque message reçu et transmis donne droit à un rituel, refait notre amour, comme on refait la vie, comme si nous avions toujours rendez-vous, au bout des mots, au bout du cœur.

Aux yeux de ma famille, de mes amis, qui est ce bel inconnu qui m'a séduite, qui habite mes pensées et mes rêves, qui, en juin, vient à ma rencontre sur son cheval blanc ? Lui seul peut les rassurer de sa transparence, de son honnêteté par le charisme qu'il détient à traduire les sentiments qui nous animent. Il fait leur connaissance, et mes proches semblent reconnaître ce qui se vit de beau et de grand entre nous sous le couvercle d'une grande complicité.

Nous allons à l'encontre du connu. Nous dessinerons notre patron unique, exclusif sur une toile dentelée. Les motifs voudront s'épanouir, prendre de l'expression, ils en auront la liberté et seront assortis d'un fil d'or pour mieux saisir les contours et le dénouement.

Bref séjour sur la côte ouest canadienne et, comme une course aux trésors, c'est la grande traversée de l'univers. Après 23 heures d'envolée, je mets le pied, tremblante, étourdie par tant d'émotions, sur la terre sacrée de Frank, le jardin doré du Pacifique. C'est leur saison hivernale. Je frissonne. Un ami nous accueille et me demande : « Would you like my coat ? » Je réponds candidement : « Yes, I like your coat » ! Anglais fragile, encore bien fragile… Et accent pour accent, les Australiens portent un accent « grave » !

Mon propos n'est pas de décrire avec force détails les attraits touristiques d'un pays si vaste que j'ai parcouru avidement du nord au sud, de vous faire voir la mer turquoise qui s'étend à perte de vue, des plages qui gardent la trace de nos pieds nus, ni de vous donner envie de prendre un hélicoptère et de vous rendre sur une île déserte où seuls les amoureux livrent leurs secrets et leurs promesses.

Mon propos n'est pas non plus de vous laisser attendrir ni impressionner par les kangourous en liberté, les koalas, ces petits oursons qui vagabondent la nuit et se cachent le jour dans les feuilles d'un eucalyptus, ni d'imaginer entendre les concerts d'oiseaux de toutes couleurs, de toutes espèces.

Je veux traduire le fil de cet amour qui se vit au quotidien, « dans ce lieu de nos fragilités, au centre d'une tendresse silencieuse et tenace, soudés dans nos corps et nos espoirs[15] ». Je suis accueillie chaleureusement par la famille de Frank, ses amis, ses partenaires de travail : conversations animées, bon vin, bonne table, et on fleurit mon passage. Je mets la main à la pâte aussi pour les accueillir comme il se doit à la québécoise ! C'est l'occasion de parler de mes traditions, de les mettre en application, d'établir des comparaisons peu banales, culturelles, enrichissantes.

Relation qui se promène quelque part dans les extrêmes, trace des sillons, soulève tant d'appels, d'interrogations, de remous intérieurs, d'attentes, d'inconnu, interroge les différences. Je dépose mon cœur, regarde les perspectives, écoute, analyse, scrute. Nous nous promenons ainsi près de sept ans, d'un pays à l'autre, d'une réflexion à l'autre à l'envers du temps qu'il fait, de l'heure qui sonne, des saisons qui ponctuent les commencements et les fins.

Aller… retour. Il me fait connaître son Australie, je lui fais connaître mon Québec. Il est toujours fasciné par la convivialité des gens, l'animation de nos grandes villes, les facilités de déplacement sur nos belles et grandes routes, les constructions dont il est maître d'œuvre dans son pays. Il s'ouvre à nos intérêts culturels, politiques, économiques, familiaux, etc. Avec un brin d'humour, je l'observe, sous un froid glacial hivernal, faire l'expérience du claquement des dents, se promener d'une fenêtre à l'autre pour photographier les chasse-neige qui déblaient les rues. Émerveillement, fascination !

Plus d'une traversée, et toujours le cœur en fête, je vais de surprise en surprise. Territoire immense, présence aborigène partout, mers et plages à grand déploiement, couchers de soleil ravissants, pubs sympathiques. Peuple dynamique, animé, « ensoleillé », conquérant, rieur, charmeur, accueillant.

J'aime ce pays du bout du monde. Resterons-nous éloignés l'un de l'autre ou vivrons-nous sous un ciel commun ? Dilemme devenu imposant, inconfortable.

Les jardins sont en fleurs, c'est le moment des confidences, l'heure de vérité approche. Frank refait le parcours en provenance de l'Australie pour que nous puissions ensemble arrêter notre regard sur notre avenir, sur les incidences et les émotions que l'un ou l'autre choix implique. Nous aurions voulu que se grave l'instant présent, les moments d'intimité, de connivence. Nous retardons le temps de se dire les pourquoi, les comment. Aucune raison de se faire mal ; l'atmosphère est trop enrobée de tendresses, des attentions de l'un pour l'autre, trop enveloppée de cette belle et grande percée amoureuse survenue au cœur de nos vies.

Mais l'océan Pacifique se trouve toujours entre nous deux… Il se fait dormant, menaçant, encombrant, devient insoutenable. Aujourd'hui, il prend la parole. C'est à l'encre rouge que nous entérinons la fin de ce long cheminement de deux êtres qui se sont aimés, se le sont juré ! Au matin, après une nuit sans sommeil, sans mots, sans aucun adieu, la gorge nouée, les yeux rougis, nous prenons la direction de l'aéroport, voie de non-retour. Une longue, longue étreinte, inondée de larmes, baignée de sérénité, enrobée de tous les souhaits du monde, et c'est la dernière traversée du Pacifique qui nous a tant de fois reliés.

De beaux clins d'œil redonnent visage à cette belle et émouvante histoire, mon histoire. Des éclairs d'amour ou d'amitié, une fidélité à jamais présente refont surface. Une voix grave et chaude me parvient de l'autre bout du monde : « My dear Claire »… Pour moi, c'est le matin ; pour Frank, c'est le soir.

Je ne savais rien du voyage
Rien du chemin, ni du retour.

SYLVAIN LELIÈVRE

Survol… attractions

Il est des lieux qui tirent l'âme de sa léthargie,
des lieux enveloppés, baignés de mystère,
élus de toute éternité.

MAURICE BARRÈS

Au milieu des années 1980, les vacances estivales m'ont souvent offert la possibilité d'ouvrir grand les yeux sur l'immensité de l'Univers, de voler au-delà des mers, des océans, des continents, de m'enfoncer dans les profondeurs d'un ailleurs, dans la mêlée du quotidien, au milieu de peuples en profonde mutation, de voir le monde dans une nouvelle perspective, de sentir la richesse qui se déploie davantage par de larges sourires et la générosité que par l'apparat et le faste.

Le verbe être se conjugue au présent, renouvelle mes énergies et mon enthousiasme. De grands moments pour célébrer la vie et garder présents ces instants de bonheur et d'explorations tropicales. Tant de Beauté ne peut qu'éclater et, à maintes occasions, je ferai rêver et conduirai mes étudiantes dans ces aventures idylliques, passionnantes.

Mes périples en Australie – repères à la fois solides et fragiles de mes au revoir, un Éden que la laideur n'atteint pas, où tout est transformé en beauté par la magie de la romance – m'ont permis de faire escale à Tahiti et en Nouvelle-Zélande. Fascination et enchantement !

Nuit étoilée, chaude, odeur tropicale, polynésienne, Tahiti m'ouvre les bras. Les musiciens, revêtus de couleurs écarlates et parés de longs colliers de fleurs naturelles, font l'accueil en présentant un spectacle enivrant, de la musique endiablée. Sourire attachant, peuple charmeur, ensorcelant.

Au lendemain, je m'enfonce plus profondément dans cette île où l'avion m'avait conduite dans le noir. Paradis hallucinant : spectacles et danses exotiques se produisent sous nos yeux à longueur des jours et des nuits ; des orchidées et des hibiscus font la parade sur tous les parcours. Paradis où le ciel se marie avec la mer, cette mer chaude, turquoise, attirante. Riches couchers de soleil où tout se dit sur la Beauté, la Splendeur, sur l'Astre divin !

J'habite une auberge sans prétention au bas d'une falaise située sur l'île Morea. On me dit que la sécurité est omniprésente : mes déplacements s'effectuent donc en toute confiance.

Mais comment retracer mon chemin, retrouver mon gîte dans l'obscurité, sous la pluie battante chaude qui s'abat jour après jour pendant cette saison ? Je longe la seule route circulaire. J'avais pris la précaution de laisser la lumière extérieure en veilleuse, tel un phare pour guider mon retour. Par quel raccourci m'y rendre ? Je me trompe « d'avenues » et trébuche dans un ravin. Peut-être dissimulait-il des petits animaux traîtres, rampants ? À la vitesse avec laquelle je me relève, je ne leur donne pas la chance de m'attraper. Aventure qui donne de la saveur, garde vigilante. Je dissimule pourtant un radar posté en moi qui me donne la capacité de rebondir généreusement aux sournois imprévus et de conserver le regard fixé côté soleil.

***

Ressemblance frappante avec notre Ouest canadien. Paysages montagneux, longues distances à l'allure champêtre, troupeaux de vaches et de moutons en abondance. Je fais connaissance avec un peuple sympathique et généreux, cet autre pays impressionnant du bout du monde, la Nouvelle-Zélande. Une visite guidée me permet de connaître les attractions en peu de temps. Je vois les aborigènes silencieux, à l'œuvre dans une fabrication artisanale, je visite un immense centre d'agronomie dont la particularité est d'offrir une formation sur l'élevage des moutons, énorme source de revenus. École imposante, magistrale ! Je suis fascinée : une tonte de toison parfaite en quelques secondes, une présentation de la personnalité de chaque espèce offerte avec élégance et tous les honneurs d'un grand déploiement !

Et je vais ainsi de découverte en découverte. Au Grand Hôtel International, un somptueux banquet à saveur néo-zélandaise est préparé sur des eaux thermales. C'est une majestueuse fête dont l'invitation est lancée aux touristes de tous les coins du monde. Nous aurions pu former une « Société des Nations ». Canadienne, Québécoise et fière de l'être parmi ce rassemblement si divers, je suis allée rejoindre une Torontoise attablée non loin. L'éloignement rassemble, nous sentons des affinités, des airs de famille. J'assiste en sa présence à un spectacle de danses et de chants présenté par les Maori, premiers arrivants en terre néo-zélandaise.

Ces haltes, ces incursions dans le temps et l'espace m'ouvrent à de nouvelles cultures, me font connaître d'autres visages, d'autres mœurs, d'autres habitudes. Je vais d'explorations en explorations, de sourires en sourires et laisse tourbillonner le nouveau, l'émerveillement.

* * *

Avec deux bonnes amies, nous voilà à la conquête du Costa Rica en « gougounes » et en sac à dos cette fois. Petit pays en pleine croissance, climat doux comme un éternel printemps, forêts denses et vierges, terres sauvages, jardins verdoyants, parcs de flore, de faune, abris privilégiés des oiseaux de toutes couleurs, des petits singes grimpeurs, grimaçants, aguichants. Vaste jardin zoologique sans clôture. La mer, encore la mer qui a le don de faire miroiter tous mes états d'âme. La plage immaculée étale toute sa blancheur, porte l'empreinte de pas que le vent ou le temps n'efface pas, et les vagues puissantes montent la garde !

Ne reculant devant rien, nous faisons la traversée guidée de la jungle sur une embarcation trouée. Rivière miroitante, sinueuse, silence têtu, animaux exotiques en dialogues, cueillette de pommes d'eau. Arrêt suggéré par notre guide, là où quatre ou cinq familles se partagent sobrement un lopin de terre, cohabitent avec poules, cochons, moutons et survivent... pour l'essentiel. Afin de nous rendre à leur lieu de pêche, seul moyen de subsistance, nous filons sur la pointe des pieds comme si la consigne se devait d'être toujours respectée : ne rien briser de leur quiétude. La présence d'étrangers peut se faire menaçante quand l'isolement sert de protection.

J'aurais pu converser et être de connivence avec Pete du film *Le papillon bleu* de Léa Pool tourné dans cette jungle mystérieuse. Plus tard, beaucoup plus tard, je me projetterai visuellement dans cet univers pour remuer ciel et terre dans ma lutte de guérison. Tout est possible, cet environnement magistral, naturel, donne vie aux désirs, fait renaître tous les espoirs, laisse libre cours à l'essentiel et nous met sur le chemin de nos propres défenses.

Entreprenantes et audacieuses, à bord du petit train qui déferle sur des rails chambranlants, nous parcourons de long en large ce minuscule pays avec notre cœur d'enfant, nous laissant griser par tant de situations cocasses et inattendues. Trop périlleux, ce petit train est remisé quelques années plus tard et remis à neuf, nous a-t-on dit ! Ballade secouante pouvant donner des maux de reins aux plus endurcis, mais nous voilà à Cahuita, petit village où le temps semble s'arrêter et marquer la limite de l'horizon. Mer des Caraïbes, plage au sable blanc, palmiers, petite école encore ouverte, un restaurant, un gîte pour les passants. Nous avons l'impression d'être les acteurs d'un film d'une autre époque ! À l'arrivée, le chauffeur crie à pleins poumons : « Paradise ! Paradise ! » C'est l'arrêt à destination du paradis : paradis pour les amis de la nature et des excusions extravagantes.

Prisonnière dans un cratère volcanique, je suis au ralenti à cause d'une malencontreuse entorse. La brume redoutable s'avance comme un mur opaque, rendant la situation oppressante, paniquante : j'ai du mal à respirer, seule et perdue dans cette enclave de roches, de cendres, de sable. Déjà disposée à y passer la nuit, mes deux compagnes plus agiles me rejoignent à la vitesse de la brume. Quel soulagement, j'avais l'impression d'avoir survécu à une catastrophe et je tenais la main de mes amies comme une petite fille qui vient d'avoir une très grosse peur !

Nous décidons de prendre l'avion à San José – de la plage à la ville – pour franchir la montagne du haut des airs au lieu de la contourner par autobus. Nous voulons nous gâter en nous offrant le petit déjeuner à l'aéroport. Surprise ! Deux bancs vides situés en plein champ ! Pas de toasts donc ! Quant à l'avion, des employés ont dû le pousser de force pour qu'il prenne son envol ! Ouf ! J'apprends qu'un de ces avions a laissé sa peau au sommet de la montagne quelques années plus tard. Rien d'étonnant...

Invitation est donc lancée aux amants de la nature, aux aventuriers intrépides, aux explorateurs des lieux purs et enchanteurs, du sable blond, de la mer déchaînée. Nous revenons avec plein de souvenirs croustillants et dépaysants.

* * *

Direction fantasmatique cet été-là. Avec Ghislaine, ma fidèle complice, nous ressortons nos « gougounes » et nos sacs à dos, tout en émoi et en effervescence, et nous nous envolons au pays des déesses et des légendes : l'Indonésie !

Auparavant, deux brefs arrêts sont à l'horaire, le temps d'une visite guidée, de situer nos points d'attraction et redevenir nos propres guides.

La Hollande d'abord. Pays de l'art imprégné de Van Gogh, pays des tulipes, des maisons sur pilotis, de milliers et de milliers de bicyclettes en marche ou stationnées, plus encombrantes sur les routes que nos autos au Québec, mais plus économiques et moins polluantes. Pays où les lois sont élastiques sur la prostitution et dont les adeptes désinvoltes affichent à leur manière l'érotisme et la sensualité, la pornographie, par leurs tenues, leurs symboles, leur audace. Elles s'emparent de leur quartier, de leur fenêtre teintée à la lumière rouge.

Singapour ensuite. Porte d'entrée de l'Asie. L'Amérique s'y est infiltrée avec ses coutumes, sa culture. L'Orient côtoie l'Occident. Peuple accueillant et sympathique… Nous avons l'impression d'être sur la route de la soie, du bon goût. L'ordre et la propreté sont dictés par des lois plus que sévères. Attention au papier laissé sur vos pas, il vous coûtera 250 $ d'amende – et la surveillance est étroite. Cafés de charme, d'ivresse, nous entendons Brel, Bécaud, comme si nous étions dans notre salon. Des chansons connues, reconnues par un public si lointain, ont le pouvoir de raviver une flamme, de laisser sur le coin d'une table une note de nostalgie des nôtres, de notre pays, de nos amitiés.

Good morning, Singapour ! En route donc pour le pays des dieux : l'Indonésie.

Au-dessous du cosmos gît une masse de fer magnétique. Antaboga, le serpent du monde, fit surgir du chaos par méditation la tortue Bedawang sur le dos de laquelle il lova deux serpents en guise de fondation du monde. Sur la tortue de l'univers, il posa un couvercle, la Pierre noire. Il n'y a ni soleil, ni lune, ni lumière dans la grotte qui est sous cette pierre : c'est l'enfer, dont le dieu est Kala. Kala a créé la lumière et la terre, sur laquelle coule une nappe d'eau. Au-dessus sont les cieux, au nombre de cinq. L'un est de boue, qui a donné une fois séché les champs et les montagnes, puis il y a le ciel flottant où Semara, dieu de l'Amour, trône au milieu des nuages. Au-delà s'étend le ciel bleu sombre qui comprend le soleil et la lune, palais du Dieu-Soleil, Surya. Puis vient le ciel parfumé, superbe et parsemé de fleurs rares, où habitent les serpents awan, les étoiles filantes. Plus haut encore, un ciel de flammes, où demeurent les ancêtres. Enfin, au-dessus de tous les cieux, vivent les gardiens divins qui surveillent les nymphes célestes.

Cosmogonie balinaise d'après le *Catur Yoga*

Salamat Pagi (Béni soit le jour). Les Indonésiens sèment à la volée cette salutation de leurs larges sourires. Nous avons grandement besoin de ce sourire et de cet accueil « au-dessus du cosmos ». *Salamat Pagi !* Arrivées tard en après-midi, assises par terre à l'aéroport, nous effeuillons, page à page, notre fidèle *Guide du routard.* Jour après jour, nous sommes plongées dans les endroits les plus croustillants, les plus mordants, les plus dépaysants, les plus époustouflants qui soient. Ubud, Bali, deux polarités, deux centres de la culture, de la vie trépidante, de la musique exotique, des transes, de l'extase. Toute l'île danse ! Les fêtes et les cérémonies alternent. Nous goûtons à leur nourriture intertropicale, piquante, régénératrice. Grosses soupes, riz, encore du riz : c'est leur culture première, leur source de survie. Les rizières en terrain plat ou en cascades sont à perte de vue, les femmes et les enfants y travaillent autant que les hommes, à la sueur de leur front. Les femmes travaillent aussi le batik, et elles commencent très jeunes. Les couleurs fortes, chaudes, vives, donnent le ton de ce peuple en pleine métamorphose et dont les influences n'auront jamais de prise sur les délices de leur pays, leurs attaches, leur culture.

C'est un pays à forte majorité hindouiste où les rituels sont omniprésents. Nous avons été de leurs célébrations où toutes les forces du village sont mobilisées aux préparatifs pour l'accueil des touristes. Nous nous sommes rendues à une crémation, cérémonie gigantesque, sacrée où l'âme émigre vers l'au-delà.

La dépouille mortelle, dont les ossements ont souvent été déterrés après plusieurs années, est entourée d'un linceul et portée par le fils aîné qui prend place au sommet de la tour funéraire. La crémation est publique, annoncée dans tous les petits villages : la procession est imposante. On chante, on fait la fête, on porte sur la tête tout ce qui a pu appartenir au défunt, on secoue l'édifice pour faire perdre la trace aux mauvais esprits. À l'arrivée au four crématoire, les invités sont priés de se retirer, la famille poursuit le rituel, brûle le corps et se rend jeter les cendres à la mer. L'être devenu libre peut ainsi renaître, se réincarner pour jouir d'une vie meilleure. C'est l'ultime hommage offert à l'un des leurs. La famille peut travailler une vie entière pour financer cet événement très coûteux. C'est un moment heureux, vécu dans la joie, au son des tambours, des gongs, au milieu d'offrandes, de chants purificateurs. C'est la libération de l'âme, de l'esprit.

Les temples, lieux sacrés et respectés où l'on parle en silence, nous attendent partout. Par respect, par tradition, par dignité, nos souliers sont laissés à la porte. L'Indonésie évoque l'odeur de l'encens. Il en brûle devant nos portes, dans les lieux privés et publics comme une prière qui monte et embaume l'hospitalité. Vous leur faites bonne impression ? Ils viendront avant votre réveil faire brûler l'encens à votre porte. *Salamat Pagi !*

Les moyens de se déplacer d'un endroit à un autre sont facilités mais prennent souvent la forme d'excursions longues et éprouvantes. À nous donc d'y remédier et d'admirer les paysages, les lacs, les rivières, d'une exquise beauté. Dans un minibus bondé, conduit à haute vitesse sur une route vertigineuse, il nous a fallu une journée entière pour nous rendre au mont Bromo assister à un lever de soleil. Un deuxième conducteur, debout dans la portière de côté, donne les signaux de dépassements, d'arrêts ! Nous sommes épuisées et terrifiées. Nous passons la nuit dans un gîte au confort douteux. Tôt le matin, le trajet se poursuit en jeep, cette fois sur un terrain de roches et de cendres. Laissés en pleine noirceur, à l'aveuglette, sans direction précise, adoptant la marche rapide, éclairés par une lampe de poche et étant mal protégés des culbutes sur les roches volcaniques, nous devons, coûte que coûte, atteindre le point culminant et spectaculaire de notre séjour : le mont Bromo. Décidée à respecter mon rythme cardiaque, je fais une pause. Par miracle, se dessine le profil d'un cheval blanc et son cavalier, puis un autre ; ils viennent à notre secours. Ils ont l'habitude de venir à la rencontre de leurs touristes. Belle balade qui nous dirige, toujours dans le noir, directement au pied de ce fameux mont Bromo. Déposés au pied d'un long escalier, encore un saut et nous y sommes ! Quelques secondes plus tard, subitement, aussi rapide qu'un courant électrique, tout s'illumine : le soleil se lève ! De l'ombre à la lumière. Moments émouvants, inoubliables : voir se lever la lumière qui éclaire et englobe le monde ! Remuée, j'ai prié pour la terre entière. Deux cents personnes environ se trouvent au sommet, reconnaissent cette lumière au même moment et l'applaudissent. Et, tout à coup, c'est comme si la face du monde venait de changer.

Je venais d'assister à un des événements les plus marquants de mon histoire : voir « naître » la lumière qui éclaire le monde entier. Éblouies, méditatives, fatiguées, c'est maintenant le retour au point de ralliement. Cette fois, pour mon plaisir, je choisis mon petit cheval et mon cavalier !

Un autre moyen populaire d'exploration, bien « tripant » cette fois, est le *bechak*, sorte de grosse bicyclette à trois roues : passagers en avant, chauffeur en arrière. Un dollar pour nous balader une journée entière, et on s'arrache le contrat ! Nous avons fait l'expérience de jouer au conducteur, c'est alors que avons préféré monter les côtes à pied !

Peut-être existe-t-il une forme de confort, d'aisance matérielle sous ce ciel bleu, dans cet Éden ? Nous ne l'avons pas côtoyée. Nous avons plutôt touché du doigt la pauvreté dans tous ses replis. Nous avons vu mendier, dormir dans la rue des personnes enrobées de papier journal pour se soustraire aux attaques des moustiques. Nous avons aussi vu des yeux baissés pour, sans doute, ne pas voir plus loin que l'aujourd'hui, et nous avons constaté de larges sourires, francs, confiants, accueillants.

Salamat Pagi, peuple indonésien !

* * *

La Bolivie m'a conquise. J'ai longtemps rêvé de franchir ce pays où l'immensité se confond avec l'isolement, j'ai longtemps ressenti le besoin de percer le mystère de ce peuple montagnard, indien, coloré, fier et digne, silencieux et intériorisé, qui se présente à nous dans sa vérité et dans sa nudité. J'ai été en mesure de mieux saisir l'âme de ce peuple pour avoir vécu au milieu d'eux, perçu des regards, entendu leurs besoins disséminés ici et là, à la grandeur de leur générosité.

Or à l'automne 1994, jeune retraitée, je me mets en route pour vivre cette expérience enviée, profonde, marquante, à défis multiples. Vite conquise, je suis accueillie à Cochabamba, ville hospitalière, sans artifices, où l'air des montagnes nous surprend déjà, ville où l'Indien est maître chez lui, ville aux arbres bleus qui semblent s'ouvrir sur un printemps éternel, ville où se croisent ombre et lumière, richesse et pauvreté. Je vis au rythme lent des gens... j'écoute. J'écoute ce qu'ont à me raconter ces Indiennes recueillies sous des vêtements typiques aux couleurs vives, coiffant chapeaux melon, souvent assises sur le sol, se faisant marchandes mais davantage en quête d'espérance que d'argent, portant enfants et provisions sur leur dos déjà arqué sous le poids du quotidien. J'entends et j'écoute le silence... silence qui déconcerte au premier abord mais qui dégage un mystère plus profond encore, que seul le langage du cœur peut décoder. J'entends ce besoin de survivre à une pauvreté matérielle en s'appuyant sur une richesse que je devine plus présente; je veux parler de cette richesse intérieure qui se dégage avec tant de prodigalité et qui est vécue dans une complicité commune. J'entends chez ce peuple profondément religieux l'écho de leurs prières venant des montagnes comme une supplication à vaincre l'aridité, la sécheresse, la désolation de leur pays dénudé. Je les entends se surprendre à demander à leur Dieu de leur envoyer miraculeusement l'eau, le pain en provenance de l'autre côté de la montagne parce que les provisions sont épuisées de ce côté-ci. Je n'ai pas eu besoin de pousser bien loin ma réflexion pour comprendre qu'il faut un regard subtil et perçant, un cœur ouvert, capable de capter l'essentiel et de vibrer à l'espérance pour rejoindre et se faire entendre par ce peuple un peu craintif mais capable d'offrir sans mesure sa confiance aux gens vrais, simples, dépouillés.

Simone est l'une de celles dont je parle. Simone, mon amie, mon guide, ma traductrice, m'a fait connaître « sa » Bolivie. Cette femme est de toutes les luttes boliviennes depuis près de trente ans. Nous avions fait et refait le monde lors de notre année d'étude à Ottawa et nous nous sommes retrouvées dans son pays d'adoption.

Comment être insensible à Pacatta, ce petit *campo* situé à quelques kilomètres de Cochabamba ? Tu as redonné espoir à ces familles regroupées après les fermetures de mines, familles qui se retrouvent en provenance d'ici et là, sans le sou, sans abri, sans eau, sans électricité… sans larmes, peut-être. À partir de tentes, tu leur as offert le luxe des maisons de briques, tu les as enrichies de deux sources d'eau où chacun va fièrement à la rencontre de sa portion… Ces « nouveaux» propriétaires, que tu aimais tant, t'ont parlé de leurs souffrances physiques et morales. Tu étais là, tu es toujours là... Grâce à toi encore, une garderie est établie en permanence sur ce site. Garderie qui fourmille d'enfants qui s'ouvrent, s'épanouissent, apprennent déjà à livrer combat pour des lendemains meilleurs. Ils t'ont répondu par leur courage, leur détermination, leur solidarité, leur dignité. Je suis émue encore!

J'ai été privilégiée par les contacts que tu m'as favorisés avec tes amis, tes compagnons et compagnes de route. Grâce à eux, j'ai pu pénétrer dans des milieux où seules une explication ou une implication peuvent me les rendre accessibles et me les faire connaître à leurs justes dimensions. Je parle du centre culturel Portales, de différents *campos*, je parle des marchés publics, je parle de multiples randonnées, de conversations, etc.

Les montagnes ont eu sur moi un attrait irrésistible. Que dire de ces longs trajets: Sucre / Tarabuco – Cochabamba / Oruro – La Paz / Copacabana? Montagnes tantôt lointaines, tantôt proches, routes en lacets, précipices vertigineux, et toujours plus loin, plus haut, jusqu'à atteindre des sommets où il nous faut redescendre avec un souffle nouveau mais sans faire marche arrière. L'immensité, les contrastes parlent d'abandon. L'espace soutient le regard, hypnotise, lance des messages de sérénité, d'intensité, la nature s'offre dans ce qu'elle a de plus pur, reste fidèle à elle-même. La vie semble naître de l'impossible. La végétation se fait rare. À flanc de montagne, de minuscules maisons au toit de paille, semées à la volée, invitent, interrogent comme si quelques secrets pouvaient nous être révélés. Les faisceaux d'or du soleil ou l'œil brillant de la lune apportent lumière et chaleur. Une foi démesurée, aveugle mais agissante, sans doute, assure la sécurité et la nourriture; nourriture apportée je ne sais comment ni d'où. Je n'ai jamais pu savoir. Les distances sont énormes, les maisons éparpillées sont reliées par des sentiers habitués aux mêmes pas répétés. Des enfants solitaires, presque perdus, des hommes et des femmes, sueur au front, un peu de jardinage: des patates en abondance, quelques lamas, des surfaces inviolées, un cactus, des pierres, du sable, la montagne circulaire, et c'est la vie qui s'assume.

Oruro, c'est la Bolivie de Simone au temps de sa jeunesse et c'est aussi la Bolivie que j'ai rêvé visiter depuis longtemps. Une escale et des contacts des plus chaleureux, une visite-éclair, le temps de m'apprivoiser à la haute altitude, de me faire cadeau d'un tablier à l'indienne sous le regard étonné et ravi des *campesinos* et le temps d'être inondée d'affection par de nombreuses tricoteuses qui, tous les jeudis après-midi, depuis près de trente ans, prennent d'assaut une salle pour leur rendez-vous hebdomadaire. Impressionnant!

La Paz où se trouve l'aéroport le plus élevé du monde: 3500 mètres. L'avion ne semble pas atterrir mais accoster. Ville frissonnante comme toute autre grande ville du monde, située dans une cuve où, à l'inverse du connu, ce sont les pauvres qui vivent dans les hauteurs, dans des constructions entassées à même la montagne, et où les riches sont en bas.

Le lac Titicaca, lac mystérieux de mes premiers balbutiements en géographie. Un peu plus loin, trois heures d'autobus de La Paz et j'y suis! Comme dans un conte, inscrit loin au-dedans de moi, il m'a entretenu de son histoire, de son étendue, de sa couleur, de son pouvoir magique de calmer, d'apporter de la douceur, de sortir de l'ordinaire quand nous sommes en provenance d'un pays où l'absence d'eau se fait cruelle. En le pourchassant, il m'a conduite jusqu'au cœur de Copacabana, centre religieux, historique, réparateur. Les pèlerins s'agenouillent, implorent le meilleur. C'est le rêve de tous les Boliviens, m'a-t-on dit, de se rendre un jour dans leur vie prier la Vierge de Copacabana. Je me suis recueillie et je me sentais assez près d'eux pour porter à leur place leurs louanges et demander à la Vierge de les envelopper de son manteau.

C'est le point culminant de mon périple. J'étais de retour peu de temps après. Il m'a fallu un long temps et emprunter le silence bolivien pour intégrer cette expérience de vie. J'ai été amenée à poser un regard sur la Bolivie, mais curieusement la Bolivie m'a amenée à poser un regard à l'intérieur de moi-même. Une série d'événements ont façonné mon être et sillonné mon existence, mais « ma » Bolivie reste imprégnée au plus profond comme un appel à l'essentiel, au dépouillement, à l'impossible.

* * *

De la Bolivie, je me rends en Équateur. Il me faut faire escale au Pérou. Je reçois des messages de mise en garde. Seule à l'aéroport, en pleine nuit, avec la langue espagnole non maîtrisée, dans un pays peu sécuritaire : voilà qui est source de grandes inquiétudes pour des amies qui me voient partir et qui connaissent moins mes talents d'aventurière.

Pourtant, elles savent que je suis allée d'aventure en aventure dans mes périples au Québec, que j'ai envahi des pistes de course, que j'ai voyagé « en gougounes » et sac à dos dans d'autres pays inconnus et elles se rappellent certainement que c'est sans peur et sans boussole que j'ai bravé le Lac-à-Beauce et Winneway contre vents et marées !

L'Équateur est toujours mon point de mire et le Pérou, mon point de jonction. Arrivée en pleine nuit à cet aéroport de transit, où on m'avait appelée à la vigilance, je tente en vain de repérer la pancarte de l'hôtel qui doit m'accueillir. L'hôtelier n'a pas tenu sa promesse d'être à ma rencontre. Il n'y a personne pour me guider sauf des gens de bonne volonté qui veulent me conduire à bon port ! J'ai dû user de fermeté et parler « en bon français » pour assurer ma sécurité. Je fais finalement bonne route avec un chauffeur recommandé par la compagnie d'aviation. Il est bon conseiller aussi et me rappelle : « No sola » à l'extérieur de l'hôtel dont portes et fenêtres sont barricadées comme partout au pays d'ailleurs. J'ai un ange gardien, des guides et ils semblent bien faire leur travail.

Le lendemain, je reprends l'avion pour Quito, capitale de l'Équateur, où il est prévu que j'effectue un transfert immédiat pour Guayaquil, lieu de destination. Mais nous sommes le 1er novembre et les Latinos vouent un culte spécial aux saints dont c'est la fête universelle. Aucun service public n'est assuré ; les avions sont cloués au sol. Et demain, le 2 novembre, jour des Morts, même vénération assurée. La vie reprendra-t-elle ? Personne ne me donne la réponse exacte, oui… non… oui… non…

J'établis donc mes quartiers généraux dans un hôtel situé en face de l'aéroport pour y passer la nuit. À 5 heures, le lendemain, comme une sentinelle, je fais le guet : le guichet ouvrira-t-il ? D'autres téméraires forment une longue ligne. À 6 heures, soupirs de soulagement, le personnel de l'aviation reprend le service. La priorité va évidemment à ceux qui ont une réservation ; je ne suis pas de ceux-là et mes bagages sont laissés à l'hôtel. Cependant, pas question de céder ma place. Les dieux sont de mon côté. J'attends mon tour avec anxiété, achète mon billet, cours chercher ma fameuse valise. Il me faut réveiller le gardien qui s'obstine à vouloir visiter les lieux avant que je quitte. Faute de temps, je ne lui donne pas mon consentement. Toujours à la course, je retraverse la route valise en main et, deux minutes plus tard, l'avion décolle !

Pauline est au rendez-vous, m'attend à l'autre bout de cette histoire. Avec fierté, elle me fait découvrir les attractions de cette ville trépidante, séduisante, aux architectures monumentales. Je prends contact avec l'histoire et les traces qu'elle laisse, ses charmes particuliers, entre autres de grands et magnifiques tableaux peints à la main qui couvrent les immenses édifices du centre-ville. Beauté de l'Art ! La campagne est enivrante, les Andes gigantesques ! Nous mettons pied aussi là où se séparent l'hémisphère Nord et l'hémisphère Sud, lieu touristique très fréquenté.

Étrange peuple
qui vit dans la pauvreté sur des montagnes d'or,
s'endort tranquille aux pieds des arbres
et s'amuse avec de la musique triste.

EDUARDO GALEANO

Comme bien d'autres, ce voyage m'a fait naître à moi-même. Historique, romantique, percutant, j'ai pénétré dans ce pays comme on plonge dans un livre captivant où la fin veut toujours être retardée, où l'imaginaire devient une nourriture.

Le séjour se déroule dans la simplicité et la fraternité. Je suis vite mise en contact avec la même disponibilité, les mêmes questionnements sur la vie, les mêmes passions que j'ai connues en Bolivie, avec les mêmes sentiments admiratifs aussi pour le bonheur qui se dégage de celles qui y consacrent leur amour, leur temps. Ce sont mes amies!

Dans la constance, le dévouement jour et nuit, dans cet orphelinat qui m'abrite, Pauline répond aux besoins de ces jeunes. Elle est la mère, l'amie, la confidente, la directrice de ces enfants blessés, abandonnés. Elle y a établi domicile, voisine de la porte d'à côté où se vit tragiquement l'abandon, l'intense besoin d'être reconnu et aimé. Et elle les aime tant! En un court temps, ces laissés-pour-compte m'ont communiqué leur espoir, leur sourire.

Dans leurs grands yeux, des étincelles. Ils m'accueillent avec une petite fête comme si j'étais celle qu'ils attendent depuis toujours. Ils m'offrent une rose, ils sont plusieurs à me la remettre de leurs mains, de leur plein sourire. Ils me dictent ce qu'il y a de plus merveilleux au monde: la joie est plus grande à donner qu'à recevoir. Ils n'ont rien, ils donnent tout: une rose et leur cœur! Profondément touchée, j'aurais voulu les prendre dans mes bras et les entourer d'une tendre caresse.

Je vous présente Loulou. Jeune, dynamique, charmante Équatorienne. Un lien d'amitié se crée entre nous lors de mon passage en Bolivie. Je reprends contact avec elle dans son pays natal. Quelques années plus tard, elle vient au Québec pour des études universitaires. Une rencontre déterminante, pour elle, exubérante, ne se fait pas attendre, rencontre qui scellera à jamais une union, un soir d'hiver.

Éloignée des siens, ma présence à ce mariage semble faire surgir ou intensifier des liens bien significatifs. Notre rencontre dans son pays d'origine prend pour elle l'importance d'une longue chaîne d'émotions ce jour-là. Je suis témoin de son bonheur, de son engagement. Elle est si lumineuse et heureuse ! Je partage ce moment solennel, ses projets présents et à venir. Près d'elle, en songeant à l'éloignement de sa famille, certainement attendrie par ce que vit leur Loulou ce jour-là, je porte leur présence lors de la bénédiction nuptiale et du partage d'un chaleureux banquet servi en l'honneur des nouveaux mariés. L'émotion forte forme un bouquet d'allégresse offert avec tendresse.

Je suis maintenant « ma tante ». Félicitations, Loulou, félicitations, Alain.

La vie et la mort nous séparent

Vous serez ensemble jusque dans la
silencieuse mémoire de Dieu
mais qu'il y ait des espaces dans votre communion
Et que les vents du ciel dansent entre vous.

KHALIL GIBRAN

Sans avertissement, l'amour se présente à nouveau. Je m'abandonne à de nouveaux repères et me tourne vers cette force insidieuse et électrisante. Des accords lancés au hasard, des rencontres sur le terrain de nos intérêts communs, des confidences à la suite de la récente rupture de cet homme qui vit maintenant seul nous ont réunis. Nos sentiments se précisent : je reçois sa souffrance, il accueille la mienne. Les retentissements prennent de l'ampleur, de l'importance, se rendent au cœur. Mais nous avançons sur du sable mouvant. La relation prendra la couleur de l'inaccessible pour des raisons que je ne dévoile pas par discrétion, par respect de la mémoire de cet homme que j'aime profondément. Nous nous trouvons dans l'intimité d'une zone commune, de plus en plus ouverts l'un à l'autre.

J'établis d'abord ma réciprocité au bout d'une perche. Mais quand donc vient le moment où tout prend une autre perspective, où l'on ne voit plus la vie de la même manière, où s'établit la tension d'un fil qui prend de la force et ne peut plus être cassé, où la romance des devenirs prend forme, où le choix d'inscrire la relation au-delà des manques s'enracine ? Nous décidons de faire confiance, de prendre des risques. Mon amour se tisse, se fait, se refait avec cet homme d'une générosité sans mesure. Homme des contrastes, coloré, intègre, qui ne laisse personne indifférent, qui donne toute l'importance à quiconque s'adresse à lui. Élégant, raffiné, vrai.

Il n'y a rien à décoder dans la communication, il exprime ses opinions avec force éloquence et conviction, se lève pour donner plus d'ampleur à son discours, déride l'espace, énonce sa vérité comme s'il venait de la mettre au monde.

Homme de grandes décisions, rien ne l'arrête. Un jour, il décide d'aller acheter un matelas. Il se rend au magasin, tâte l'un, tâte l'autre, pour dire au jeune vendeur : « C'est celui-là que je veux. » Le vendeur, surpris de la rapidité de sa décision, lui dit : « Vous décidez vite, Monsieur. » Il lui répond du tac au tac : « C'est un matelas que je veux, c'est pas la Place Ville-Marie que je magasine ! » Autrefois directeur d'une grande entreprise internationale, il aurait bien été capable de la magasiner, la Place Ville-Marie ! Selon son expression, « il brasse la cage », réveille ce qui dort, allume ce qui est éteint.

Je l'aime, cet homme, et c'est réciproque. À ses yeux, je porte les qualités du monde ! L'amour se vit au quotidien, ne s'explique pas, mais où en sommes-nous face à ce mur de réticences pour vivre notre amour en plein soleil, au grand jour ? Peut-il être franchi ? Sinon, qu'arrive-t-il de nous deux ? La question est percutante, ouverte, lancinante : nous choisissons le moment propice pour en discuter en toute lucidité et objectivité. Nous nous sentons réceptifs, ouverts de part et d'autre. C'est donc ce soir que nous mettrons nos lunettes d'approche et regarderons de plus près les enjeux de notre avenir. Le moment venu, l'émotion est ailleurs, lourde, inquiétante. Elle ébranle, bouscule tout, change tous les projets, renverse le cours du temps, de la vie. Un diagnostic médical sévère vient de tomber : à peine deux années de vie pour cet homme costaud qui n'a jamais connu la maladie. Nos yeux s'embuent, nos réflexions s'embrouillent. Sans trop de mots, nous envisageons les avenues, nous apprivoisons cette réalité qui frappe de plein fouet et c'est sans hésitation, sans discussion que je fais le choix de l'accompagner jusqu'au bout sur le chemin de l'obscurité, du courage, de la détermination. Un choix que nous redéfinissons souvent. Son compte à rebours est commencé et il en est parfaitement conscient. Il m'invite constamment à me respecter dans cette épreuve, dans ma peine. Au-delà des mots, avec mon cœur, à ma manière, ma réponse reste la même : je suis là, je serai toujours là pour accueillir ses souffrances, ses détachements, ses pertes physiques, pour bien saisir son message plein de vie, de sérénité, au cœur même de ce Grand Silence. Je serai là pour entendre, avec mes fragilités, avec ma douleur, avec mon impuissance, avec la conscience que je ne pourrai plus vivre à la surface des choses parce qu'il a été, est et restera présent à ma vie.

Nous vivons des heures d'intimité, des heures d'échanges sur la vie, sur la mort, des moments privilégiés où s'arrête le temps parce que l'intensité immobilise. Je capte à pleines mains son courage exceptionnel et me laisse imprégner de ce qu'il me dit lui rester d'essentiel : assurer la qualité d'être pour ceux qu'il aime et de ceux qui l'aiment. Je crois fermement avec lui que le Grand Pouvoir est détenu par un « Boss » quelque part et, comme dans un grand feu, cette flamme ravive mon espérance.

À son insu, comme dans un testament, il me lègue avec prodigalité une volte-face évidente à toutes résistances face à la maladie, aux souffrances physiques et morales, aux embûches, aux deuils. Il ouvre sur l'acceptation de ce qui est, sur la mort imminente, sur le bilan d'une vie riche, pleine, créative. Nous parvenons à en parler à cœur ouvert.

Vient trop vite le moment appréhendé, redouté, fatidique où ma présence physique n'a plus sa place, sa raison d'être. Nos résistances sont tombées une à une. Il reste celle-là, douloureuse, impénétrable, sans pierre d'achoppement. Nous communions à ce qui est. Les siens prennent la relève des soins, de l'appui, des affaires, etc. C'est une séparation qui cogne ! Marcel Proust dit : « Nous ne nous libérons d'une souffrance que lorsque nous l'avons connue jusqu'au bout. » C'est alors que je lui fais parvenir mes mots d'adieux écrits sur une carte de Félix Leclerc, son héros, son idole :

Notre sentier près du ruisseau
Est déchiré par les labours
Si tu reviens, dis-moi le jour
Je t'attendrai près du bouleau.

Mon bel amour. « Notre sentier est déchiré par les labours. » Cette carte un peu sombre, mais combien vivante, nous convie au dénuement, à l'Infini, aux grands espaces, à la poésie rassurante de Félix. Ce bouleau symbolise la force, ta force où je me suis si souvent reposée et appuyée.

Si je te redisais que dans ma grande et profonde déchirure se cache un coin où tu peux me rejoindre dans mon abandon, ma sérénité, mon lâcher prise et c'est ce dont je veux te parler au pied de ce bouleau, toi, le plus grand, le plus fort. De ton combat pour la vie, de cette expérience extrêmement décisive, je retiens que seul le maintenant est possible et nous appartient. Je suis contrainte d'admettre que la clé qui ouvre sur l'Espérance ne se trouve nulle part ailleurs qu'à la source même de toute destinée, si mystérieuse soit-elle. Je t'offre tendrement mon support fragile, te lance un cri de cœur et d'amour, un souffle de Vie et d'Éternité ! Je pleure dans tes bras pour entendre plus fort et plus fort encore battre ton cœur et écouter la réponse à ce qui t'est demandé de vivre, à ce qui m'est aussi demandé de vivre. Ensemble, nous en ferons notre prière.

Je t'aime. Tout bas, tout bas, je te chuchote à l'oreille des mots inscrits au fond de toi : Paix, Confiance, Plénitude.

Un peu plus d'un an s'écoule, et c'est le grand deuil. La vie et la mort nous séparent ; les liens seront à jamais transformés. À ma manière, je vis le non-retour, l'amour sans obstacles. « Je te répondrai dans l'Au-delà ! », m'as-tu dit un jour. Tu continues de vouloir le meilleur pour ta Claire. Merci pour ces moments de Vie et d'Éternité. Je serai au grand Rendez-vous !

Dans un lendemain imprévisible, mystérieux, bien proche, je serai engagée sur ce même chemin. Je méditerai ses propres réflexions et je me rendrai aux mêmes sources de Force, de Courage, de Foi. Tu es mon guide sur le chemin de l'acceptation et de la vie.

Accueillie avec une infinie douceur

Le travail occupe une grande partie
de notre vie et forge notre identité.
L'arrivée de la retraite, qu'elle soit désirée
ou imposée, nous oblige à nous redéfinir.

LOUISE SARRAZIN

Les rides plus prononcées, œil ouvert et averti, pied alerte, santé flamboyante, l'heure de la retraite s'offre à moi généreusement. Un nouveau départ, dit-on, mais aussi la perte de ce lien d'appartenance avec des équipes qui dégagent force, dynamisme et privilégient de grands moments de convivialité. C'est aussi la perte de ce temps que nous prenions à réinventer le monde. Je devrai freiner la conjugaison du verbe « faire » et la remplacer par celle du verbe « être ».

C'est donc une rupture radicale avec cette toile de fond tissée au quotidien depuis trente-neuf ans et la fin d'une course effrénée vers le succès, la réussite, la fin du sentiment d'utilité que le travail procure. Selon Louise Sarrazin : « Quelque chose meurt, quelque chose naît. » Je jongle avec la créativité, la continuité sur d'autres terrains tout aussi harmonieux et épanouissants. Repartir, donc, sur des bases différentes en préservant ma joie de vivre, mes contacts familiaux et amicaux, et un brin de fantaisie.

Mais que se passe-t-il pour que ce choix me soit devenu si ambivalent, si embrouillé ? Tournant difficile, décision prête à être reportée à tout moment. Je me sens de nouveau confrontée à mes fragilités, je cherche mes points de repère, je revois les angles de ma vie. Pour vivre ma retraite plus sereinement, j'ai besoin de refaire l'unité de ma vie et, ce besoin, je le fais prévaloir en demandant une aide thérapeutique.

Soutenue par la confiance qui se crée entre nous, je jette loyalement un regard profond sur mes sentiers battus, sur ce que je suis devenue envers et contre tout, sur les doutes et les appréhensions de la transition travail-retraite, je situe mes zones de confort et d'inconfort.

Six mois d'entrevues hebdomadaires s'écoulent à me dire, à tourner « autour du pot ». Le drame qui a terni et teinté ma jeunesse ressurgit avec force et je me rends compte, dès les premières rencontres, que la porte d'entrée sur cette aire de vulnérabilité ne doit s'ouvrir que de l'intérieur. Le silence me ligote toujours, même après plus de cinquante ans. J'avais pourtant cru que le baluchon invisible que j'avais porté de tout son poids avait été vidé de son contenu et qu'il avait disparu à jamais.

J'avais cru aussi, plus récemment, qu'en contre-attaquant un harceleur toujours à mes trousses, épiant mes moindres mouvements, camouflant mal ses intentions, j'allais faire taire mes vieux fantômes. Au contraire, cette intrusion malsaine est venue rouvrir mes cicatrices et m'assiéger de nouveau. Mais cette fois, plus forte, plus confiante en mon estime personnelle, j'éviterai à tout prix la destruction, le sentiment d'être de nouveau engloutie, d'être assujettie à un pouvoir dominateur.

Cette saga en est venue à saper mes énergies, inquiéter mon entourage et je reçois de personnes influentes le judicieux conseil de prendre des mesures fortes et pressantes.

Je lance des cris d'alarme, je me barricade. Les similitudes sont troublantes avec les assauts répétés et à l'improviste des agresseurs de mon enfance. Je riposte et les manèges malsains se poursuivent, continuant de porter atteinte à mon intimité. Finalement, je dénonce officiellement auprès des services judiciaires cet obsédé en ayant en tête les deux agresseurs d'antan. À nouveau, j'ai crié victoire !

Mais le mutisme qui m'assaille encore me donne la preuve qu'on n'oublie pas de si fortes blessures. Elles sont revenues inconsciemment me hanter avec puissance, établir un barrage étanche à ce moment précis où je suis appelée à me redéfinir. Une jour de mars, la tempête gronde au dehors. Je me sens frigorifiée, la pression intérieure est insoutenable. Je dois rencontrer ma thérapeute, je visualise le déroulement de l'entrevue toute la journée. Quoi dire et comment le dire ? Si je n'y parviens pas ce jour-là, je mettrai fin sur-le-champ à cette thérapie pourtant débutée comme un appel au secours.

Je me présente coincée, angoissée, frétillante sur ma chaise, muette comme une carpe. J'ai l'impression de revivre les malaises de mes neuf ans. Trois quarts d'heure s'écoulent à regarder tourner l'aiguille de l'horloge, dans le vide, la tourmente. La thérapeute, tout cœur, tout oreille, ne va pas plus loin qu'il faut, me laisse à « mes négociations ». Vais-je retourner dans cette zone de vulnérabilité ? Comment mettre en mots là, maintenant, ce qui me fait tant mal ? J'y parviens maladroitement, avec des phrases non finies, des pleurs, des regards vers la porte, désireuse de pouvoir fuir.

Je suis accueillie avec une infinie douceur et j'ai la satisfaction d'avoir ouvert mon cœur et une brèche sur ce qui fait rage. Ce fut un point de départ pour retourner courageusement à la source, revoir le contenu de mon baluchon et ses conséquences dévastatrices, retrouver ma dignité de petite fille, parler de femme séquestrée mais forte et me réapproprier mes forces de vie.

En pleine détresse, à travers un fait simple, banal en soi, je me suis sentie renaître. J'entoure de soins particuliers une plante à laquelle je tiens énormément puisqu'elle vient de ma mère. Elle me semble sans vie depuis un long moment. Désespérément, j'attends que le temps, la lumière et la chaleur lui redonnent sa fierté, sa valeur, sa vitalité. Voici que, contre toute attente, une feuille toute petite, fraîchement éclose, attire d'abord mon attention, me bouleverse ensuite. Elle est là, belle, entière, affirmative, ouverte, fragile avec une seule exigence : celle de s'épanouir. Sous un soleil radieux, elle est venue me dire que la vie est plus forte que tout, qu'elle m'a attendue. Elle me fait cadeau de croire que je poursuivrai mon existence dans l'équilibre et l'harmonie grâce à mes ressources auxquelles j'ai dû faire appel de toutes mes forces et que je considère maintenant et pour toujours inestimables.

La bataille vient d'être gagnée. La thérapie m'y a aidée. Les chaînes sont tombées, le silence est rompu, la liberté est retrouvée. Je n'ai plus qu'une seule exigence : celle d'aimer la vie, ma vie.

Une question se pose à quiconque subit une attaque à son intégrité ; je me la suis posée souvent avec force : le pardon est-il possible ? Que répondre ? Cette offense est cramponnée à ma mémoire et ne me quittera jamais. J'y pense souvent, mais elle ne me domine plus. Je ne crie ni vengeance ni haine. J'ai plutôt fait un pacte de paix avec moi-même pour garder l'urgence de vivre et être bien au plus profond de mon être.

En toute honnêteté, aussi paradoxal que ce puisse être, cette blessure est devenue au fil du temps la force créatrice de mon existence. J'irai au-devant de mes ressources que j'ai appris douloureusement à apprivoiser, à reconnaître, à nommer et à exploiter. Elles ont soutenu mon passé, elles soutiendront mon futur. Et j'ai aussi appris à me traiter avec *une infinie douceur*.

Cette thérapie m'a réconciliée de nouveau avec mes ombres. Du même souffle, les peurs et les pertes reliées à ma retraite se sont estompées. L'inconnu est moins menaçant, les obstacles se vivront avec le même pouvoir d'affranchissement. La retraite s'ouvre donc sur une belle page de mon histoire.

Le premier mouvement fut de m'ouvrir à l'art floral, à la décoration intérieure. De longues heures se sont passées à découvrir la beauté, la subtilité, l'harmonie, à rejoindre mon équilibre, signer des symboles de sobriété et donner droit à ressentir « l'éclat invisible de la vie ». Ce fut pour moi le prolongement de la thérapie, un appel à la vie !

Lorsqu'on admire un bouquet [...]
Il faut le temps de fermer les yeux du corps
et ouvrir ceux de l'âme
Les fleurs représentent un instant de beauté
par leur silence et leur faiblesse,
elles doivent nous transporter en dehors du temps.

George Oshawa

Retraite choyée, je bouge dans cette enceinte comme si je m'y étais toujours retrouvée. Je clame mon bonheur et ma vitalité. Cependant, des ombres, des ombres énormes se profilent à l'horizon. Des événements imprévisibles, bousculants, me frappent comme un coup de massue, me terrassent, m'aveuglent, éteignent la lumière. « J'avais les yeux voilés, il me fallait ouvrir mes mains et mon cœur. » Je retourne brusquement à l'école de la vie la plus ardue, la plus interpellante qui soit ! Elle m'apprend à marcher dans le désert, à faire face aux bourrasques, à l'impuissance, à saisir le sens et l'importance de la vie, de la mort, à franchir des seuils, à être à l'écoute de mes ressources, à escalader les marches d'une guérison, elle m'indique l'Espoir. « J'avais déjà été initiée aux plus intimes des secrets de la vie[16]. »

J'écoute, je donne, je reçois

Il faut une grande vigilance, une grande délicatesse
pour ne pas tomber dans ce piège qui consiste
à proposer un sens à l'expérience d'autrui.
Se contenter de lui donner notre confiance.

MARIE DE HENNEZEL

Accueillir l'autre est peut-être le plus beau cadeau que nous puissions offrir : l'accueillir dans ses cris de détresse, dans les heures douloureuses martelées par des choix ambigus, des décisions importantes, des incompréhensions, des pertes couvertes de souffrance, l'accueillir quand les relations sont brouillées, quand la vie perd de son sens, quand la solitude devient insoutenable ou que le suicide se présente comme le seul moyen de pacification.

J'avais laissé mûrir depuis longtemps la possibilité de devenir membre de Tel-Aide, un organisme d'écoute téléphonique bien connu qui s'adresse aux personnes qui choisissent de s'épancher dans l'anonymat. Des oreilles attentives utilisent une approche puissante pour les aider à se connecter avec leurs propres émotions, redonner aux difficultés leurs justes proportions, déclencher des démarches personnelles de solution et ainsi retrouver l'apaisement, la sérénité.

La formation et les disponibilités sont exigeantes et, à l'époque, je priorisais les activités scolaires, les interventions auprès des étudiantes. À l'aube de la retraite, cet autre moyen de réalisation se met en place et, comme bien d'autres mouvements de ma vie que j'ai connus, je n'ai qu'à me lier à ce champ d'intérêt et passer à l'action.

Les coïncidences sont troublantes et ont souvent précédé mes choix importants. Je fais part de ce projet à une amie qui m'informe que son mari termine une formation qu'il qualifie de solide, convaincante, enrichissante, exigeante. Les données positives sont donc à portée de main. Mon intérêt se précise et je m'inscris à cette formation : démarche graduée pour mieux saisir la portée et le sens de l'écoute active, mieux comprendre la façon dont l'expérience qui s'ouvre sur une détresse qui porte tant de noms peut s'intégrer à ma vie.

J'œuvre cinq ans dans ce milieu comme si je possédais toutes les ficelles de mes compétences acquises antérieurement. Je tente d'écouter sans jugement, sans idées préconçues. Je reçois plus que je donne et je capte la possibilité d'en faire une mission personnelle. Elle fait jaillir ce qu'il y a de meilleur en moi et les rapports sont vrais, constructifs, authentiques.

J'écoute des pourquoi, des comment ; j'entends des peurs, des pleurs, de la colère, de l'impuissance, du désespoir, du mal de vivre, des cris de culpabilité. L'attention est accordée à ce qui se vit ici et maintenant au bout du fil, à l'écoute de ce qui se vit de l'intérieur, lieu des fragilités, des vulnérabilités, des secrets les mieux gardés. Sans réticences, sans pudeur, dans la confidentialité et la confiance, par besoin d'être libérés, de trouver leur propre chemin sans que leur domaine sacré soit violé. Ils se livrent, nous leur proposons le retour en eux-mêmes, voie de libération.

Dans ce maintenant, tout est possible. Pour celui qui crie au secours : ouverture, processus d'évaluation personnelle, apaisement, recherche de sa propre solution. Pour celui qui écoute : sentiment d'être plus humain, plus sensible, ouvert, présent, meilleur. Ces personnes nous confient leurs souffrances physiques, morales, psychologiques. Nous leur redonnons la parole, la leur, en les mettant sur les pistes de leurs propres insistances.

Je ne sais pas ce qui est arrivé avant,
ce qui leur arrivera après…
nous sommes l'un et l'autre dans le présent,
dans le maintenant.

André, Tel-Aide

Ils sont les seuls, affirmions-nous, à décider par eux-mêmes dans la profondeur de leur adhésion. Plongés dans la noirceur, « les conseils sont fades quand le cœur n'est pas consulté ».

Je suis donc sur une lancée valorisante, épanouissante, ressourçante au milieu d'une action à la fois trépidante et animée. Cette équipe d'appartenance dynamise, interpelle, soutient, approfondit les moyens d'intervention, garde vivante la motivation et génère un nouveau souffle.

Brusquement, à regrets, je dois déposer les armes, canaliser toutes mes énergies pour tenter de reconstruire ma santé que je croyais imperméable à toutes intempéries. Cette page d'ombre s'écrit toujours, se faufile, crée beaucoup de questionnements, modifie le cours de ma vie.

Trois ans plus tard, avec un regain de santé, mue par les mêmes intérêts, les mêmes ambitions, fidèle à la promesse que je me suis faite d'être présente à moi et aux autres, je joins les rangs d'une autre équipe d'écoute aux nouveaux visages, aussi enrichissante et nourrissante, engagée. Cet engagement est de courte durée. La vie me fait signe à nouveau : « Reste à l'écoute de ta propre vie. »

Quand la peur s'installe avec la maladie, qu'il me faut accueillir la tristesse et descendre dans ma détresse, à mon tour d'être écoutée, de me laisser transformer par l'amour, l'empathie, la présence inconditionnelle.

Écoute-moi

Écoute-moi, s'il te plaît, j'ai besoin de parler
Accorde-moi seulement quelques instants
Accepte ce que je vis, ce que je sens
Sans réticence, sans jugement

Écoute-moi, s'il te plaît, j'ai besoin de parler
Ne m'interromps pas pour me questionner
N'essaie pas de forcer mon domaine caché
Je sais jusqu'où je peux et veux aller

Écoute-moi, s'il te plaît, j'ai besoin de parler
Respecte les silences qui me font cheminer
Garde-toi bien de les briser
C'est par eux, bien souvent, que je suis éclairé
Alors maintenant que tu m'as bien écouté
Je t'en prie, tu peux parler
Avec adresse et disponibilité
À mon tour, je t'écouterai

Anonyme
documentation offerte
aux écoutants de Tel-Aide

Ma famille, ma forteresse

Ainsi se forme peu à peu
la petite société de chers nous autres.
Nous nous retrouvons ensemble
à proximité des uns des autres,
avec le sentiment rassurant, ravissant
que nous avons chacun notre place
et que nous sommes liés
par la même complicité de bien-être.

DENIS PELLETIER

Des étincelles étoilent mes yeux quand je parle de ma belle et grande famille. Je crée l'envie et j'intrigue. Comment s'enroule ma vie autour de ces liens de sang ? Comment circulent l'harmonie, l'égalité, la gratuité, le respect sans qu'apparaissent la moindre rivalité, la moindre animosité ? Cette forteresse ressurgit des valeurs, des racines de notre enfance ; nous sommes prêts à tout pour la défendre, l'appuyer, la soutenir, la consolider, la préserver. Elle s'est construite avec le temps, pierre par pierre, avec des remous, sans doute, mais par des projets de vie, des choix réalisés, la force des personnalités, des pas qui vont de l'avant, la fidélité, la solidarité. « Tu te souviens le dimanche autour de la table, ça riait, discutait pendant que maman nous servait[17]... » Odeurs, rires, taquineries.

Autour de la table et sur les plages du temps, se sont déposé les commencements et les fins de chacun des chapitres de nos vies *dispersées aux quatre vents*. Ensemble, nous avons appris à tisser la toile de notre vie avec des fils souvent fragiles, envisagé des perspectives différentes, suivi des traces d'autonomie et gravité autour de cette même forteresse. Nos besoins atteints de l'intérieur nous ont permis de surmonter les épreuves, les remous, les deuils, les petits et gros cailloux de nos vies. Dans ce désert salé que je traverse, dans ce bouillonnement d'énergie pour retrouver mes forces et dans cette jungle d'émotions, je témoigne de cette présence, de cette compassion.

Notre chaîne de solidarité est toujours en mouvement, vivante, efficace. C'est une rencontre familiale au temps des fêtes. Papa et ma sœur vont rejoindre les fêtards. À la croisée de la route, avant de monter la côte, de se rendre là où tout est déjà animé, une collision se produit impliquant un taxi et l'auto conduite par papa. Heureusement, les personnes s'en sortent presque indemnes, mais les autos sont amochées. D'où les hauts cris du chauffeur de taxi ; bras en l'air, bourru, il accable d'injures avec des mots que papa ne sait pas prononcer. Il choisit de rester peu loquace, calme, s'expliquant avec une tonalité très basse cachant mal son malaise. Puis, il y a les clients du taxi qui s'en mêlent, marmonnent, bougonnent ; ils devront de toute évidence être en retard.

Ma sœur lance un appel téléphonique à ses hôtes, au haut de la côte, pour expliquer la fâcheuse situation dans laquelle ils se trouvent, les rassurer sur leur état et leur demander d'intervenir auprès des services d'urgence. À la vitesse de l'éclair, les invités en place prennent congé de la fête. Bottes aux pieds, manteaux mi-attachés, ils se précipitent ensemble pour se porter à la défense et à la rescousse de nos deux accidentés. La présence massive d'une « tribu » toujours prête à se mobiliser calme les ardeurs du chauffeur de taxi qui s'interroge sur la provenance soudaine d'une telle troupe et comprend vite qu'il est à propos de mieux choisir ses moyens d'intervention…

Nos fêtes de réjouissances ponctuent les célébrations religieuses, les mariages, les naissances, soulignent en grandes pompes des événements marquants. Des invitations surprises, en toute saison, se font invitantes. Nous nous habillons de joie, d'humour, festoyons, rigolons, rions, chantons, nous remémorons des histoires glanées ici et là, et celles de notre enfance ont souvent la vedette ! Pour ce faire, certains d'entre nous, mieux que d'autres, empruntent sans malice le ton coloré et typique des parents et n'en oublient ni le contenu ni la forme ! Les contacts sont vivants, les relations fraternelles se cimentent, réchauffent, nourrissent. Les nouvelles font le tour ; nous nous informons de l'un, de l'autre ; nous nous en inquiétons parfois, nous nous réjouissons d'autres fois. La contribution personnelle de chacun d'entre nous fortifie, affermit les assises mêmes de cette cellule vivante qui s'agrandit et s'agrandit encore.

La fête du jour de l'An prend le pas sur celle de Noël ; cette célébration a toujours gardé une saveur touchante et particulière. Très tôt le matin, avant les activités de la ferme et les derniers préparatifs apportés à la réception traditionnelle de la famille Isabelle, maman, pressentant la grandeur de l'événement qui allait se vivre, vient nous réveiller un à un. En tenue de nuit, nous nous attendons pour descendre l'escalier à la queue leu leu, du plus vieux au plus jeune. Fier, solennel, radieux, papa nous attend. C'est la bénédiction dont la demande est le privilège de l'aînée. Nous nous sentons protégés au seuil de l'année à franchir et confiants dans ce qu'elle réserve de meilleur à l'un et à l'autre.

Les souhaits se veulent enflammés, la modestie prime sur l'abondance des étrennes. Les rires fusent, traduisant nos joies simples. On s'émerveille, on s'amuse, on s'aime sans se le dire. C'est l'effervescence matinale !

Pour accentuer l'importance de la fête, papa sort sa cruche de vin Saint-Georges, réservée aux grandes occasions. Quand, vers l'âge de huit ou neuf ans, il m'offre pour la première fois un verre de ce vin, j'entre dans le monde des « grands » de la famille avec son cortège de privilèges ; l'affection père-fille n'en est que renforcée.

Ce geste sacré de bénédiction a été perpétué, s'est revêtu de la même ferveur, année après année, pour les enfants, petits-enfants, arrière-petits-enfants, et s'est immortalisé lors d'une dernière photo de papa captée quelques mois avant son décès, en 2000.

Cette fête des cœurs s'est modifiée au fil des années, bien sûr, mais le jour de l'An conserve son cachet particulier, ses souvenirs émouvants. Elle demeure notre fête de famille par excellence, celle qui nous rassemble et nous ressemble !

Vigilante, au soir de son Grand Voyage, maman donne une mission à papa: «Tu t'occuperas des enfants.» Elle sous-entendait évidemment qu'il resterait le grand pilier de notre forteresse — et il le fut.

Rassembleur né, ses yeux perçants ont la limpidité de l'émerveillement, la grâce de la sagesse et nous laissent pénétrer au fond de son être. Cœur à découvert, il nous accueille tous avec la même générosité, la même joie, le même plaisir comme s'il ne nous avait vus depuis fort longtemps. Il nous raconte des bouts de vie, des anecdotes, des expériences avec une pointe de nostalgie, parfois une larme au coin de l'œil, arrose ses discours d'un humour raffiné, vibre au bonheur des petits et des grands qui sont le cœur, la richesse et l'âme de son existence.

Maman n'est plus, mais avec papa ils ont construit et légué avec fierté cette forteresse qu'ils considèrent comme étant l'œuvre magistrale de leur vie, comme une invitation à aller de l'avant, forts de cet amour pudique, de liens faits d'éternité, et ils nous lèguent cette force tranquille, ce respect absolu, cette autonomie franche et agissante. Ils ont donné, je crois, la réponse à cette énigme que créent le cheminement et la réussite personnelle de chacun de nous au sein d'une si grande et si belle famille, ma famille.

Après des souffrances de courte durée, dans la plus pure sérénité, le rideau tombe sur les quatre-vingt-quatorze ans de papa. Il aura gardé son autonomie, son œil vif, sa vitalité, son jugement sûr jusqu'au bout de sa vie.

Je capte un de ces moments de lucidité de ses derniers instants. Ses grands yeux bleus paisibles s'ouvrent une dernière fois. Je m'approche et lui rappelle que le prêtre est venu lui dire, la veille, qu'il allait partir comme un beau coucher de soleil, et j'ajoute : « Vous nous le disiez, papa, en arrivant à l'hôpital, que votre chemin de vie était sur le point de se terminer. » Puis, il referme ses yeux sur la tranquillité. À mots coupés, les mains sur son front, je lui dis : « Partez en paix, papa, nous sommes tous prêts à vous laisser partir… » Sur son front sillonné par les labeurs et les dernières adhésions, je ne lis que la sérénité. De sa mort qu'il pressent, il fait un acte de foi, un dernier acte d'abandon, une prière sereine.

Nous l'avons aimé, nous l'avons accompagné, nous franchirons avec lui les portes de cet Ailleurs éternel. La peine est immense, le vide cruel, l'émotion vive, le silence évocateur, la paix significative. Presque au lever du soleil, le 10 mars, c'est le grand passage vers l'Éternité, allant à la rencontre de son Dieu, de ce Dieu du Notre Père qu'il a tant de fois prié, qu'il a tant aimé.

Nous recevons des témoignages de sympathie abondants, touchants, comme une pluie bienfaisante, comme un éloge à son intégrité, à sa vivacité, à sa sociabilité, à son engagement familial, social, paroissial. On rend hommage à cet homme de foi, de « terre », qui ne s'est jamais démenti. « La foi la plus belle et la plus extraordinaire, c'est celle qui sait reconnaître la présence de Dieu dans l'humble quotidien » (frère Yvon, abbé d'Oka).

Nous nous recueillons une dernière fois pour nous unir à cette prière qui porte l'Espérance de la Vie éternelle. « Nous avons confié son corps à la terre comme une semence. Nous avons posé ce geste avec l'Espérance du semeur qui veut qu'après la mort apparente de l'hiver vient le temps de la moisson. Seigneur, bénis cet être bien-aimé. »

« Vous êtes de la race des cœurs droits, race bénie. Votre lignée sera puissante sur la terre. » (*Ps* 3,2)

Amitiés qui ont tous les âges

Dans la rosée des petites choses,
le cœur trouve son matin et sa fraîcheur.
KHALIL GIBRAN

Le long de cette longue trajectoire, des personnes ont cru en moi, m'ont fait partager leur vie, leurs rêves, se sont ouvertes de l'intérieur, m'ont guidée, ont scellé des liens qui durent et dureront à jamais. Ces amitiés ont tous les âges. Certaines portent le fleuron de ce que j'ai de plus précieux depuis plus de quarante-cinq ans ; elles sont demeurées sans rides, authentiques, vraies. D'autres sont nées sous d'autres cieux au gré du hasard, dans tous les coins et recoins de mon parcours ; elles sont garantes d'une fidélité constante et durable et forment une très longue chaîne de perles et de diamants dressée sur un fil d'or, précieuse, de grande importance.

Avec un téléphone sans fil, avec des mots non filtrés donc, par la voix projetée, nous passons dans la confiance et l'intimité du je au tu, puis au nous. Amies aux mille figures, aux mille facettes, vous êtes uniques. Dans la complicité et la réciprocité, nous comprenons que vulnérabilité et solidité peuvent cohabiter, qu'ensemble nous pouvons affronter dans la gratuité et l'inconditionnalité les peines, les vertiges, les épreuves ; que nous pouvons nous retrouver au milieu d'éclaircies, un soir de fête, un soir d'espoir.

Et dans la douceur de votre amitié
qu'il y ait le rire et le partage des plaisirs.

KHALIL GIBRAN

Ce ne sont que de bons moments, moments magiques, privilégiés qui s'épanouissent au soleil levant, au soleil couchant, filtrent les ombres, laissent passer l'oxygène.

Vous, mes amies, avez la valeur des trésors glanés au fil du temps, avez la consistance du roc, la beauté des plantes grimpantes qui ornent un jardin fleuri, la richesse de la durabilité, la saveur d'un Pain de vie, la profondeur et l'intensité du jour, du temps, des saisons du cœur. Vous possédez la clé de la porte de mon cœur, j'ai la vôtre. Un regard, un mot, un sourire, une attention, une présence assurée comme un vent de fraîcheur en tout temps, à toute heure du jour et de la nuit comme si nous avions toujours rendez-vous. Vos contacts m'aident à dessiner mon horizon et à le peindre de courage, à réajuster mes angles, saupoudrer de rires ces instants simples et enchantés.

Vous êtes de « fidèles témoins », dit Duguay Mathieu, peintre, celles qui…

Se tiennent debout,
complètement dépouillées
Attendent la venue de reverdir et d'accueillir
dans le ciel ému de l'âme
l'andante d'une saison du cœur.

Quand tout s'écroule, quand mon énergie est drainée par les méandres du quotidien, quand mes regards se dérobent à la Lumière, un signal, une rencontre, et la communication s'ouvre sur ce présent parfois redoutable, qui dénoue les impasses, et c'est l'impact d'une liberté retrouvée.

Âmes supportantes, enrichissantes qui portez la fragilité de mon être, m'offrez les moyens de rester en équilibre, de goûter aux plaisirs simples du quotidien, vous êtes et resterez inscrites sur ma porte. *Deux rues dépassée la tendresse !*

Viens faire un tour chez moi
Il y manque simplement que toi
Viens passer quelque temps
Il y a tant de temps déjà que je t'attends
Viens faire un tour chez moi
Tu resteras le temps que tu voudras
Viens passer quelque temps
Y'a trop de temps déjà que je t'attends

J'ai bâti ma vie sur une île
Et mon cœur me sert de maison
Mes jours sont un jardin tranquille
Mes amis en sont les saisons
Tu dois connaître mon adresse
Puisque c'est toi qui l'a choisie
Deux rues dépassée la tendresse
Ton nom sur la porte est écrit

MICHEL CONTE

Quête de guérison

La maladie, c'est craindre pour sa vie,
c'est aussi remettre les priorités à leur place,
faire le tri du faux et de l'authentique,
renouer avec soi.

Josée Legault

L'ampleur de cette citation prend tout son sens pour moi en mai 2000. Elle me signale l'urgence de retrouver les sillons de ma vie, de faire face à ma tragédie, de suivre le chemin de ma guérison, de persévérer avec une force inébranlable.

Une certaine stabilité physique et émotive acquise, je me crois à l'abri du pire ; je suis la mouvance d'une retraitée qui prolonge le circuit de ses engagements dans une course à haute vitesse, soutenue par une santé que je suppose sans faille, et ma vie respire, se déploie. Soudainement, mystérieusement, le 24 mai, journée estompée dans ma mémoire, l'alarme se déclenche : fatigue extrême, nausées, maux de dos, fièvre élevée, etc. Sans tarder, je consulte et alors s'enchaînent précipitamment de nombreux aller-retour à l'hôpital. Je suis référée à un spécialiste de renom. Intuitive de nature, cette fois je ne me doute de rien. La bombe que détient le médecin et qui allait bouleverser ma vie et la transformer à jamais, m'échappe totalement. Je crois à une intoxication alimentaire, à un arrêt spontané d'énergie ou à un malaise pouvant relever du « bel âge ». Je ne sens venir ni la gravité ni les bouleversements ni le déclic d'une éclaboussure qui me fait descendre dans une profonde détresse et me transporte dans une totale et cruelle impasse.

Avec professionnalisme et doigté, un spécialiste parvient à me faire habilement miroiter la vérité. Il porte des gants blancs, je les vois. Il me parle de symptômes : ganglions démesurés, système immunitaire qui n'assume plus ses défenses, tests sanguins en folie ! Il me parle avec lenteur, enveloppe ses phrases de mots que je dois décortiquer, à mots couverts donc. Son regard empathique et les précautions qu'il prend pour me faire absorber les investigations à venir : scanner dans les plus brefs délais, biopsie, référence en hématologie, etc., me font craindre une catastrophe, mais suis-je prête à l'entendre ? Mes yeux s'embuent, ma respiration devient haletante, mon cœur veut se fractionner. Ma question se précise, je veux une réponse claire et franche. « Docteur, vous êtes en train de me parler d'un cancer ? » Surpris que j'aille au-devant du verdict, un silence éternel se glisse entre nous ; la sirène se déclenche à nouveau. Je suis cernée, retranchée dans mon angoisse, sur le bord d'un naufrage. Avec beaucoup de compassion, il répond avec justesse : « Nous allons investiguer pour un lymphome. » Et il ajoute, pour tenter de me rassurer, sans aucun doute : « La médecine a fait des progrès énormes pour traiter ce type de cancer, si cancer il y a ! »

Je retourne chez moi ébranlée, affolée, secouée, anéantie, accompagnée d'un cortège de questions et de douleur. Le tableau est sombre, noir sur gris. Cancer ! Mon agitation est palpable, la peur fait sa niche. Est-ce bien à moi que le médecin s'est adressé ? Est-ce bien mon sang qui a été analysé à trois reprises ? L'imagination est fertile, prend la direction du pire ! Je suis dans un état de fragilité extrême ; j'ai du mal à me ressaisir comme si je venais d'être opérée à cœur ouvert. Mes pensées tourbillonnent, ne veulent pas se poser. J'aimerais faire demi-tour. Trop tard. Il me faut suivre la cadence.

J'ai des sanglots plein la voix, des larmes coulent à petits filets comme si je ne voulais pas qu'elles se déversent trop vite pour rien, parce que j'ai du mal à croire à cette dure réalité, à faire face à ce mur de glace qui se dresse, qui viendra à nouveau remplir mon baluchon avec des ingrédients différents. Dévastée, foudroyée, broyée, les nuages gris foncé apparaissent, annonciateurs de tonnerre, d'orage, de détérioration massive : je tremble comme une feuille en plein vent.

Et nous sommes en mai, le soleil est radieux, les jardins fleurissent, les passants sourient. Je cherche un coin protégé, une zone dégagée. Où est mon refuge ? Je refuse pour le moment de franchir le pas, celui que nous appelons acceptation. Trop tôt encore.

Comment conjuguer ma dualité : négation – guérison ? Comment simplement envisager la reconstruction possible de ma santé ? Trop tôt encore ! Qu'est-ce qu'une santé déchue vient faire dans ma vie que je crois en pleine croissance ? Jusqu'où me mènera-t-elle ? À quel rythme la maladie suivra-t-elle son chemin ? Ai-je les forces physiques et morales pour y faire face ? Réflexions trop ardues pour le moment.

Journée et semaines éprouvantes. Un mois d'attentes interminables ponctués de points de chute maison-hôpital. Je m'ouvre à ma famille, à mes amies. Je choisis mes mots, je parle juste avec ceux que je suis capable d'entendre personnellement. J'ai besoin de crier au secours, d'établir un espace de libération, d'éviter que l'espoir se dérobe sous mes pas. J'apprécie les silences, les réflexions qui ne vont pas plus loin que ce qui est… Et les forces, les supports matériels et affectifs se mobilisent : aide, accompagnements, écoute. Je reçois à bras ouverts, c'est de l'amour injecté dans la plus pure gratuité.

28 juin 2000. Le diagnostic tombe officiellement : lymphome leucémique indolent ou, si vous aimez mieux : leucémie lymphoïde chronique à évolution lente. *Chronique… à évolution lente…* Diagnostic qui ne fait aucune place à l'interprétation, prononcé par une hématologue de renom, par une sommité, me dit un jour son collègue. Je fais confiance à sa science et le contact médical s'établit positivement. Le contrôle est assidu, assuré ; les traitements de gros calibre semblent appropriés et le tir est réajusté au besoin.

Je fais confiance à cette spécialiste ainsi qu'à son équipe, mais on ne peut que contrôler la maladie, me répète-t-on, non la guérir. C'est à mon sens beaucoup trop limitatif.

Ma santé est entre mes mains… et je gravirai les marches d'une guérison possible.

Un jour, mon tout petit neveu de deux ans et demi, grippé, fiévreux, est collé sur moi, alors je lui dis : « Tu es malade, mon petit homme ? » Il me regarde de ses grands yeux bleus d'enfant, déroutants, et me répond en toute candeur : « Ça va guérir ! »

Jeune adulte maintenant, je l'informe, la veille de ma première visite officielle en hématologie, que j'allais voir le médecin le lendemain avec sa mère et que, peu importe la gravité, je dirai à la sortie du bureau : « Ça va guérir ! » Un large sourire de compassion sur un visage si vrai. Sa réponse naïve de petit bonhomme soutient ma persévérance. Il avait vécu la certitude de sa propre guérison, mais trop jeune pour en connaître l'impact, il me conduisait à la même et pleine assurance plusieurs années plus tard.

Mes réactions violentes du départ prennent avec le temps une autre dimension ; doucement, sans bruit, elles se résorbent. Je me ressaisis à petites doses et je nuance mieux. « Ça va guérir ! » Je le répète tantôt pour me convaincre, tantôt par certitude ! Je promets de veiller, de rester en alerte, d'être vigilante, de ne pas abdiquer. En tout temps, je serai mon alliée, appauvrie physiquement mais superpuissante ! Je suis attaquée, je vais contre-attaquer avec des armes de destruction massive ! « Et comme nous ne pouvons changer la réalité, changeons les yeux qui la regardent[18]. »

Ma mémoire reste fidèle :

La vie est venue me dire un jour que je traverserai mon existence avec mes ressources que je considérais pour toujours inépuisables. Elles l'ont été, elles le sont encore, inépuisables, prêtes à intervenir dans le branle-bas de ce combat !

La famille et les amies m'ont toujours assurée de leur présence ; elles vont continuer, j'en ai la ferme conviction. Ma famille est ma forteresse, mes amis ont la solidité du roc !

J'ai livré bataille sur tous les plans. Tant et tant de défis et j'en suis sortie victorieuse. Je crois être une « lutteuse » et à moins d'avis contraire, je n'abdique pas, je ne suis pas hors jeu croyez-moi, la mémoire est fidèle !

J'ai vécu beaucoup de deuils, j'ai accompagné dans la mort. Les réflexions que j'ai faites et reçues s'appliquent maintenant à moi dans la reconstruction de ma santé défaillante. Elles nourrissent mes pauses de prière, de méditation, me permettent de faire « des retouches » quand l'ombrage se fait trop envahissant.

J'ai appris dans mon Institut et appliqué dans ma vie que seul le « maintenant », le moment présent, m'appartient. Et quand les lendemains s'assombrissent, c'est encore plus vrai ! Je l'ai rappelé à mon ami de cœur devant sa mort imminente.

Je tendrai ma main à cette Main protectrice qui veille, me fait cadeau de sentir une sécurité intérieure et de vivre sans angoisse. J'irai puiser mes sources affectives dans mon coffre aux trésors.

Je serai accompagnée par ce regard de bienveillance, d'une infinie tendresse, persistant, d'un tableau d'un Christ glorieux dont j'ai fait récemment la découverte.

Ma maladie devient :

Une invitation à reprendre le mouvement de la vie, de ma vie, telle qu'elle se présente avec ses hauts et ses bas, ses espoirs, ses déceptions, dans la sérénité.

Un appel au secours, pour trouver un sens à l'inexplicable, pleurer à gros bouillons, retracer mes pistes de joie, solidifier mes forces intérieures, remettre ma confiance à neuf, crier à l'espoir qui n'attend qu'un signal pour éclore à nouveau.

Un temps alloué pour nommer les pertes et les gains reliés à cette terrifiante maladie. La perte de ma vitalité est certainement la plus tenace, la plus douloureuse et la plus ombrageuse. Les gains les plus percutants et les plus inattendus sont sans contredit l'ouverture à ce qui est, le recours à l'Essentiel, une profonde gratitude à ma vie même si elle est maintenant fragilisée.

Une porte ouverte, un rendez-vous avec moi-même qui me confronte, un jour à la fois, à mes incohérences, au jeu du pour ou contre, à la vie, à la mort. « Je commence chaque jour une même démarche à partir de ma nuit quand ce n'est pas à partir d'un doute vers la foi[19]. »

Une occasion de rencontrer des hommes et des femmes qui poursuivent la même quête de sens, qui cherchent les moyens de rester en équilibre, de garder vivants les plaisirs simples d'une vie qui est labourée.

Henri J.M. Nouwen, dans son livre *La voix intérieure de l'amour*, écrit : « Tu peux raconter ton histoire à partir du lieu où elle ne te domine plus. Tu peux en parler avec une certaine distance et voir en elle un cheminement vers la liberté présente[20]. » Il faut croire que j'étais habitée déjà par cette liberté intérieure. Avec mes mots, avec mon cœur, je laisse libre cours à une inspiration matinale. L'encre coule comme coule le sang dans les veines. Je sens le besoin viscéral de cerner ce qui peut faire grandir les personnes atteintes de cancer. J'y suis plongée depuis un an et j'aborde ce questionnement discrètement, modestement, presque religieusement.

Comment *grandir* quand le choc de la maladie secoue encore et apparaît comme une fatalité, quand la tempête fait toujours rage, quand s'insinue malgré soi le désarroi intérieur, la déstabilisation, les menaces de l'effondrement des assises mêmes de notre santé, quand l'inexplicable se produit ?

Grandir, sommes-nous seulement capables d'en entendre parler ? Aimerions-nous mieux parler de colère, de révolte intérieure, de déni, d'injustice, de bataille engagée contre un géant ?

Mais alors, quel sens donner à ce mot un peu vulgarisé, quand il donne la parole à une personne atteinte de cancer ?

Si *grandir* se situait dans une constante confrontation entre fragilité et force ?

Fragilité qui se retrouve dans cette énergie diminuée, cette douleur pénétrante, cette appréhension sournoise, cette angoisse tenace, cette solitude soutenue, cette peur de la mort à peine voilée.

Et pourtant…

Force est de croire que les ressources bien ancrées au cœur de soi sont et seront toujours en alerte, bien vivantes. Ne sont-elles pas toujours venues à notre rescousse quand les soubresauts de la vie nous ont surpris ?

Force est de croire que les blessures les mieux cicatrisées sont celles qui ont été assumées dans la tendresse, dans la persévérance, dans l'accueil, dans l'acharnement à vivre les valeurs et les croyances qui ont su garder intacte notre urgence de vivre.

Force est de croire que ce même cheminement va se retrouver dans l'expérience bouleversante qui est de vaincre notre cancer.

Si *grandir* évoquait une montée progressive ? Déterminés que nous sommes à vouloir atteindre un sommet, son sommet à soi, avec ses avancées, ses reculs, ses arrêts, ses nouveaux départs. *Un peu plus haut, un peu plus loin,* comme dit la chanson. Reprendre son souffle, reprendre son rythme, et lentement, sûrement, retracer, reconnaître, laisser vivre ses zones d'ombre et de lumière, de peines et de joies.

Si *grandir* était de s'accompagner dans la douceur, de consentir à se laisser apprivoiser, à se laisser interpeller par une oreille qui écoute, par une main qui se tend et qui se fait rassurante, par un regard qui conduit loin au-dedans de soi ? Se laisser accompagner par des mots, des gestes qui viennent du cœur et qui nous parviennent en toute gratuité, sous différentes formes et de différentes manières, mais qui ont pourtant tous la même résonance : « On t'aime, on est là, tu es belle et grande dans ce que tu vis, tu es importante pour nous. »

Si *grandir* était d'établir un pont entre les larmes et les rires, entre les questionnements et les réponses attendues ?

Pont de confiance, d'abandon, de lâcher prise, de prière et de silence.

Et pourquoi ne pas se donner souvent, très souvent, un intime rendez-vous sur ce pont ? Lieu privilégié pour reprendre contact avec soi, pour faire circuler l'Énergie, la Lumière, l'Intériorité, la Vie.

Si *grandir* était de franchir ses barrières, faire ses deuils, se dépouiller et devenir ainsi les premiers témoins des changements qui s'opèrent à notre insu ?

Faire ses deuils donc pour accéder à l'Essentiel de notre être et devenir ainsi davantage présents à :

un soleil qui se lève
un aujourd'hui qui se veut meilleur
une résistance qui tombe
une maladie qui s'apprivoise
une adhésion qui appelle
un espoir qui jaillit
une paix qui prend sa place

Si la maladie, si brutale soit-elle, conduisait à une nouvelle Naissance à la fois douloureuse et merveilleuse, *grandir* ne serait-il pas d'en saisir toute la certitude et d'en arriver ainsi à lui donner son ultime dimension ?

***

Apprenez à vous mettre en contact
avec le silence intérieur
et sachez que tout ce qui vous arrive a un but.

ELIZABETH KÜBLER ROSS

2004. Quatre ans plus tard ! Le balancier oscille toujours. Devant des diagnostics qui grimpent d'une marche, d'une autre marche, je m'appuie sur la rampe, j'ai l'impression de retourner à la case départ, aux mêmes réactions connues : vertige, incertitudes, impuissance, impasse. Quelques jours sur un fil en déséquilibre et je retourne visiter mes forces de vie. Je suis ballottée entre le sens et le non-sens, entre la réalité et le mystère, entre le meilleur et le pire. Je tricote ma vie, assise sur un terrain mouvant. Une maille à l'endroit, une maille à l'envers. Une maille s'échappe, je la rattrape avec détermination, avec force et courage. C'est ainsi que mon œuvre, cette marche vers la vie, se réalise petit à petit dans la persévérance, la foi, la détermination, le courage. Timidement parfois, haut et fort d'autres fois, j'affirme que le meilleur est à venir, qu'un nouveau jour va se lever. Et si je ne trouve pas les mots, je laisse le silence s'infiltrer.

Lorsque l'Univers te paraît s'assombrir,
ce n'est pas parce que les portes se ferment devant toi,
mais que ton regard se dérobe à la Lumière.
François Garagnon

Le fil conducteur de ma quête de guérison repose sur une certitude intérieure, qui est de faire appel à mes ressorts invisibles pour garder le mouvement de la trajectoire. Je crois vivement, pour l'avoir vécu en parlant longuement de mes accidents de parcours, du secret de mon baluchon, que : « Le ressort invisible [...] permet de rebondir dans l'épreuve en faisant de l'obstacle un tremplin, de la fragilité une richesse, de la faiblesse une force, des impossibilités un ensemble de possibles[21]... »

Je fais appel à ces ressorts qui me donnent le pouvoir de faire face à la réalité en restant debout, en me conduisant progressivement, non sans doutes ni larmes, sur la voie invisible de cette traversée si périlleuse. Quand les traitements ne semblent plus agir, que la maladie tente de se refaire un nid malsain, si je me sens de nouveau dans une impasse, je m'accroche et renoue courageusement avec l'Espoir.

Un suivi médical méticuleux tente de rétablir les ententes sanguines pour que l'une et l'autre reprennent et respectent leurs positions respectives et finissent par s'entendre. L'efficacité avec laquelle je réagis, un jour, à un puissant traitement me convainc d'allier mes forces intérieures à la science médicale. Chute vertigineuse des globules blancs. Dans *mon* langage scientifique, un obstacle de taille commence à flancher. « Nous pouvons espérer une rémission partielle ou totale, même si dans votre type de maladie c'est très rare », me dit le médecin. Ce même médecin qui, depuis quatre ans, me rappelle : « Je vais contrôler votre cancer, mais non le guérir. » La maladie m'a-t-elle mise sur une nouvelle route, celle de la guérison ?

J'attends depuis si longtemps cet encouragement de fond qui alimente mon espérance, intensifie ma foi en la force créatrice et puissante de mon être.

Euphorie de courte durée.

La maladie sournoise et complexe prend des proportions, s'infiltre, change de visage, devient plus agressive. Je me sens fragilisée, coincée dans un labyrinthe. Où se trouve ma sortie de secours ? Profonde déception, la lumière se met à osciller.

Cependant mon corps restera mon fidèle allié. « Je machine en secret des échanges, par toutes sortes d'opérations, des alchimies, par des transfusions sanguines, des déménagements d'atomes, par des jeux d'équilibre[22]. »

Je jongle avec Réceptivité, Persévérance, Ouverture à ce qui est. Je réanime avec vigueur mes armes de combat, crée un espace de libération pour saisir les petits et grands bonheurs qui jalonnent mon quotidien et donnent raison à l'urgence de vivre l'intensité du moment ; je vogue d'alternance en alternance sur mes sentiers intérieurs et je m'agrippe à cette chaîne d'Espoir et de Sérénité que j'ai formée comme un cri du cœur avec les personnes que j'aime.

Je laisse à la science ce qui appartient à la science. Des hospitalisations, des nouveaux traitements de tout acabit me permettent de réapproprier graduellement mes énergies vitales, d'établir des liens de connivence avec les cellules saines qui sont en moi et qui luttent avec moi. Je mesure l'audace et les ravages de ma maladie. L'inconnu m'est terrifiant en le regardant de loin, alors vaut mieux utiliser mes lunettes d'approche pour poursuivre mon parcours dans l'aujourd'hui.

Et « Bonjour la vie ! » Celle que j'ai appris à aimer, qui est faite d'intensité, d'ombre et de lumière, que je livre avec une haute pudeur, une vérité absolue qui a valeur d'éternité.

« Pour redonner un sens à sa vie, on établit sa position, on fixe une direction, on fabrique ses propres points cardinaux et on se bricole une boussole dont l'aiguille frétille joyeusement vers le plaisir de vivre[23]... »

Voie de demain

On n'choisit pas toujours la route
Ni même le moment du départ
Et la vie est si fragile.

LUC DE LAROCHELLIÈRE

Il fait nuit. En isolation totale, dans une chambre austère d'un hôpital, clouée à un lit qui connaît les secrets des grands combats, versée dans le noir profond où seule la discrète lueur de la lampe de poche d'une infirmière qui fait le guet brise l'impression de me sentir nichée quelque part entre ciel et terre.

Consciente de cette secousse névralgique qui m'assaille depuis cinq ans, de l'impasse médicale dans laquelle je suis acculée depuis près d'un mois, de l'état de vulnérabilité où je me trouve en ce moment même, je fais le choix de descendre plus à fond dans cette nuit, y rester, saisir ce qui s'y passe, ce qui s'y meurt. Je laisse tomber les ficelles de mes retranchements et quitte mes entraves.

Je bascule entre les refus catégoriques et les lâcher prise consentis, les résistances lourdes et les abandons convaincants, les agitations violentes et la sérénité calmante.

Je me sens obstinément interpellée. Je prie, je pleure, j'ai froid, je retiens mes cris, je signe des bouts du film de ma vie et je m'attarde douloureusement, impérativement à cette Grande Traversée de mon univers terrestre.

Je souhaite une lueur pour réchauffer cette froideur qui m'empoigne, pour éclairer et souscrire à ce que je pressens être une réflexion forte, une mise au point culminante. Où en suis-je dans cette évolution *lente* de ma maladie ?

Cette chandelle allumée à ma naissance
brûle doucement à mesure que j'avance
pour achever de se consumer
quand le jour arrivera
de dire adieu à la terre.

ISABELLE DELISLE LAPIERRE

J'ai vécu peut-être la nuit la plus agitée que j'aie connue. « La chandelle brûle à mesure que j'avance... » Quand s'éteindra-t-elle ? C'est le mystère de toute existence humaine, c'est le mien. Comment pourrai-je rallier mes forces ? Comment gagner mon combat sur la vie avec cette leucémie qui gruge toutes mes énergies et brûle la chandelle ?

Pourtant, au cœur de ces questionnements, de ces ambivalences, de ces déroutes, une force venue de la zone la plus profonde de mon être me dicte délicatement d'aller au bout de ma route dans le sacré du quotidien, seule voie carrossable que je peux emprunter sans angoisses ni dénis.

Au matin, tout n'est pas si clair. Je viens d'aller au bout de mes nuits, au-delà de mes réflexions. Encore ébranlée mais pacifiée et avec plus de chaleur dans le cœur, je reviens vers la Lumière.

Dans un déluge de larmes et un large abandon, je fais la promesse au Tout-Puissant d'être fidèle à ses signes. Je ne connais « ni le jour ni l'heure » (*Mt* 25,13), mais Il est mon allié et j'irai à Sa rencontre dans la sérénité.

Je n'ai accédé à aucune conclusion,
je n'ai érigé aucune frontière
qui exclut ou qui enferme,
séparant l'intérieur de l'extérieur :
je n'ai tracé aucune ligne ;
de même que
les multiples aléas du sable
changent la forme des dunes
qui n'auront plus la même forme demain,
ainsi je désire poursuivre mon chemin,
et accepter la pensée qui vient,
ne déterminer aucun début ni fin,
n'établir aucun mur.
Je voudrais essayer
de mettre en ordre de larges poignées de désordre,
en élargissant l'espace, mais en profitant de la liberté
du Terrain qui m'échappe
car il n'y a pas de finalité à la vision,
car je n'ai jamais rien perçu complètement,
et car la voie de demain sera un nouveau chemin.

A.R. Ammons

Lettre à mes lectrices et à mes lecteurs

Je remets entre vos mains le fidèle portrait de mon visage intérieur. Je vous fais entrer dans mon intimité, dans ma vision profonde d'événements souvent imprévisibles, dans mon vécu pressenti et ressenti dans son mystère. Merci d'en saisir les nuances, le sens, l'intensité, l'émotion, la transparence, la vulnérabilité. La vie m'a sculptée et je lui voue une forte et immuable gratitude.

Je cite Jean-Luc Hétu : « On trouve un sens à son existence en réalisant qu'il a fallu passer par tout ce qu'on a vécu pour devenir ce qu'on est aujourd'hui. C'est une démarche de réconciliation avec soi-même et avec la vie qui devient source de sens et de sérénité[24]. » Ma foi, mon parcours et ma réalité actuelle me font adhérer à ce propos.

Paradoxe ! Femme réservée, d'une discrétion totale, aujourd'hui, c'est la grande ouverture ! Mon histoire personnelle qui a connu ses commencements, ses élans, ses luttes, ses victoires, ses issues, ses ombres et ses lumières s'ouvre au grand jour. La clarté vient de l'intérieur et elle illuminera sans doute ma route de demain, intensifiera la sérénité, la pleine et entière ouverture à ce qui est.

Un jour, l'écriture s'est imposée à moi comme une force, comme un appel auquel je n'ai pu résister. J'ai longtemps repoussé les pressions : la lutte que je livre pour ma vie y est peut-être pour quelque chose puisque « j'attends d'être plus libre intérieurement », répondais-je. Curieusement, plus les pages tournent et s'écrivent, plus cette liberté s'ouvre, plus je me libère et plus je me retrouve sur le chemin de l'Essentiel. C'est peut-être le pas vers l'accomplissement total ?

« Je continuerai d'interroger mes questions, de prolonger mes perceptions, de prendre soin de moi journellement… je continuerai de voir les autres comme des présents qui prolongent la vie jusqu'aux rires de l'existence[25]. »

J'ai cru le moment choisi pour me définir : je me sens en harmonie avec moi-même, avec ceux que j'aime, avec ma vie ! J'en fais une grande célébration ! Beaucoup de personnes m'ont encouragée, m'ont soutenue, m'ont donné leur appui, m'ont poussée vers la réalisation de ce projet que j'ai cru jusqu'à ce jour irréalisable. La liste est longue, si longue. Vous avez ajouté le sel qu'il fallait pour me donner l'assurance et la capacité de pouvoir m'autophotographier de l'intérieur.

Que la vie vous soit bonne !

Le ciel est étoilé et les étoiles portent un nom : le vôtre !

Claire

Ouvrages cités

ALAIN, Pierre, *Les hauts lieux de la France*, Liber/France-Loisirs, Présentation.

AMMONS, A.R., *Corsons's Inlet*. Tel que cité par Kenneth J. Gergen et John Kayel dans leur chapitre intitulé « Au-delà de la narration : la négociation du sens thérapeutique » dans *Cahier critique de thérapie familiale et de pratiques de réseaux*, volume 19, *Constructivisme et constructionnisme social : aux limites de la systémique*? De Boeck Université, Paris, Bruxeles, 1998.

BARRÈS, Maurice, Dans Jean-Louis Le Breux, *La légende du Rocher Percé*, Imprimerie du Havre, Gaspé, 1991.

BEAUCHEMIN, Nérée, *Patrie intime*, La Bibliothèque électronique du Québec, volume 61 : version 1.2, septembre 2002.

BOUCHARD, Marie-Ange, *Jeanne d'Arc de Témiscouata*, Les Éditions Carte blanche, 2000, 273 p.

BURELLE, Réal, « Au jardin de mon enfance », *Le Bel âge*, juin 2004.

CAVELL, Stanley, dans Jacques Salomé, *Le courage d'être soi*, Les Éditions du Relié, 1999, 193 p.

CRAMER, Bertrand, dans Jacques Salomé, *Car nous venons tous du Pays de notre Enfance*, Éditions Albin Michel, 2000, 128 p.

CYRULNIK, Boris, *Un merveilleux malheur*, Éditions Odile Jacob, 2002, 224 p.

DEBRUYNNE, Jean, Dans Jacques Salomé, *Car nous venons tous du Pays de notre Enfance*, Éditions Albin Michel, 2000.

DE HENNEZEL, Marie, et Johnanne DE MONTIGNY, *L'amour ultime*, Alain Stanké, 1990, 186 p.

DELISLE LAPIERRE, Isabelle, *Vivre son mourir. De la relation d'aide aux soins palliatifs*, Éditions de Mortagne, 1984, 337 p.

DICKINSON, Emily, dans Sarah Ban Breathnach, *L'Abondance du cœur*, Éditions du Roseau, 1999, p. 120.

D'OR, Georges, *Si tu savais*, Les Éditions de l'homme, 158 p.

DUGUAY, Mathieu, peintre, notes personnelles, le 26 juillet 1991.

DUPEREY, Anny, *Je vous écris*, Éditions du Seuil, avril 1999, 234 p.

EMERSON, Ralph Waldo, Dans M.V. Hansen, J. Canfield et K. Kirberger, *Bouillon de poulet pour l'âme des ados*, Éditions Sciences et Culture, 1998, 327 p.

FAVREAU, Marc, *Faut de la fuite dans les idées*, Alain Stanké, 1993, 159 p.

GALEANO, Eduardo, *Les veines ouvertes de l'Amérique latine*, Guide du routard, 2004-2005.

GARAGNON, François, *Jade et les sacrés mystères de la vie*, Éditions Alexandre Stanké, 1999, 140 p.

GARNEAU, Hector de Saint-Denys, *Poésies complètes*, Éditions Fides, 1949, 225 p.

GAUDET-SMET, Françoise, *Par cœur*, Leméac, Collection « Vies et mémoires », 1986, 173 p.

GIBRAN, Khalil, *Le prophète,* traduit par Camille Aboussouan, Casterman, 1954, 94 p.

GOULET YELLE, Fernande, *Bonne nuit la vie!* Édition du Septentrion, 2004, 137 p.

HÉTU, Jean-Luc, *L'humain en devenir*, Montréal, Éditions Fides, 2001, 109 p.

KAZANTZAKIS, Nikos, dans Sarah Ban Breathnach, *L'Abondance dans la simplicité*, Éditions du Roseau, 1999, p. 262.

KÜBLER ROSS, Elizabeth. Dans Sarah Ban Breathnach, *L'Abondance dans la simplicité*, Éditions du Roseau, 1999, 749 p.

LABRECQUE, Marie, *Une longue longue marche*, Éditions Louise Courteau, 1996, 156 p.

LAMBERT, Serge et Eugen KEDL, *Le Cœur-du-Québec*, Les Éditions GID, 1998, 271 p.

LEDOUX, Johanne, « Perce-Neige », *Vie Nouvelle,* vol. 21, n° 3, 2004.

LEGAULT, Josée, *Le Devoir*, 1996.

LEMAY, Jacqueline. *Présences,* Service de diffusion catholique de Montréal, 1990, 64 p.

— « On n'a pas tous le même âge », p. 8.

— « Avoir la douceur des nuages », p. 28.

LEMAY, Jacqueline, *Le temps d'une chanson*, Montréal, Éditions Fides, 1997, 243 p.

LELIÈVRE, Sylvain, *Entre écrire*, Nouvelles Éditions de l'Arc, 1982, 252 p.

LESAGE, Donald, *Monographie de la famille Philias Isabelle*, 1979.

MacARTHUR, *Quoi de neuf*, vol. 1, n° 24, 2001.

MAHEUX, Guy, *Le bulletin de Vie nouvelle*, vol. 22, n° 2, nov.-déc. 2004.

MEUNIER, Paul, *La philosophie du Petit Prince*, Carte blanche, 2003, 291 p.

MOLYNEUX, Louis-Gilles, *Le rêveur téméraire*, Distribution Vent du soir, 1998, 67 p.

NELLIGAN, Émile, *Des jours anciens*, Édition La différence, 1989, 127 p.

NOUWEN, Henri J.M., *La voix intérieure de l'amour*, Éditions Bellarmin, 1996, 130 p.

OSHAWA, Georges, *L'Ikibana*, Éditions Denoël, 1985, 141 p.

PELLETIER, Denis, *Ces îles en nous. Dossiers et documents*, Québec-Amérique, 1987, 135 p.

PELLETIER, Renée, *Avant de tourner la page. Suivre le courant de sa vie*, coll. « Vivre plus », Montréal, Éditions Médiaspaul, 2002, 171 p.

RELAIS FEMMES, *Si la vie m'était contée autrement*, 2001, 40 p.

RIVIÈRE, Sylvain, *Une boussole à la place du cœur*, Éditions Trois-Pistoles et Radio-Canada, 1999, 180 p.

SALOMÉ, Jacques, *Le courage d'être soi. L'art de communiquer en conscience*, Les Éditions du Relié, 1999.

SALOMÉ, Jacques, *Lettres à l'intime de soi*, Éditions Albin Michel, 2001, 178 p.

SARRAZIN, Louise, *Le Bel Âge*, janvier 2002.

SCHULTZ, Roger, *Taizé*.

TAMARO, Susanne, Va *où ton cœur te porte*, Baldini & Castoldi, 1994, traduction française, Pilon, 1995, 228 p.

VIGNEAULT, Gilles, *Les chemins de pieds*, Nouvelles Éditions de l'Arc, 2004, 220 p.

Références

1. Boris Cyrulnik, *Un merveilleux malheur*, Éditions Odile Jacob, 2002, p. 185.
2. *Ibid.*, p. 92.
3. Françoise Gaudet-Smet, *Par cœur*, Leméac, Collection « Vies et mémoires », 1986, p. 141.
4. Boris Cyrulnik, *op. cit.*, p. 121.
5. Khalil Gibran, *Le prophète*, traduit par Camille Aboussouan, Casterman, 1954, p. 27.
6. *Ibid.*, p. 26-27.
7. Mac Arthur, *Quoi de neuf*, vol. 1, n° 24, 2001.
8. Renée Pelletier, *Avant de tourner la page. Suivre le courant de sa vie,* Éditions Médiaspaul, coll. « Vivre plus », 2002, p. 80.
9. Fernande Goulet Yelle, *Bonne nuit la vie !,* Éditions du Septentrion, 2004, p. 38.
10. Paul Meunier, *La philosophie du Petit Prince. Ou le retour à l'essentiel*, Carte blanche, 2003, p. 274.
11. Emily Dickinson, dans Sarah Ban Breathnach, *L'abondance dans la simplicité*, Éditions du Roseau, 1999, p. 120.
12. Société canadienne du cancer, *Le temps qu'il faut*, p. 1.
13. *La puissance du mental*, Éditions Times Life, 1996.
14. Pierre Alain, *Les hauts lieux de la France*, Liber/France-Loisirs, p. 2.
15. Fernande Goulet Yelle, *op. cit.*, p. 41.
16. Khalil Gibran, *op. cit.*, p. 27.
17. Claude Léveillé, *Frédéric.*
18. Nikos Kazantzakis, dans Sarah Ban Breathnach, *op. cit.*, p. 262.
19. Roger Schultz, *Taizé.*
20. Henri J.M. Nouwen, *La voix intérieure de l'amour*, Éditions Bellarmin, 1996, p. 50.
21. Doris Cyrulnik, *op. cit.*
22. Hector de Saint-Denys Garneau, *Poésies complètes*, Éditions Fides, 1949, p. 10.
23. Johanne Ledoux, *Perce-Neige*, Journal de *Vie Nouvelle.*
24. Jean-Luc Hétu, *L'humain en devenir*, Éditions Fides, 2001.
25. Jacques Salomé, *Lettres à l'intime de soi*, Éditions Albin Michel, 2001, p. 65.

Table

Québec, Canada
2006